논·술·세·계·대·표·문·학

42

좁은 문

앙드레 지드 | 김옥란 엮음

H 훈민출판사

파리 몽마르트르 언덕에 있
사크레쾨르 성당

The Best World Literature

피아노 앞에 앉아 있는 지드

친구들과 함께한 지드 – 오른쪽에서
두 번째가 지드

지드의 작품 〈전원 교향곡〉이
영화로 만들어졌다.

지드가 시인 말라르메와 자주 만났던 거리

〈좁은 문〉의 배경이 된 건물

The Best World Literature

지드의 또 다른 작품 〈주네브〉의 삽화

프랑스의 베르사유 궁전

구인환(丘仁煥)

서울대학교 사범대학 졸업. 동 대학원 졸업(문학박사)
서울대학교 명예교수, 소설가(현). 서울대학교 사범대학 국어교육연구소 소장(현)
문학과문학교육연구소 소장(현). 국제펜 한국본부 부회장(현)
한국소설문학상(1987). 예술문화대상(1994). 한국문학상(2000)
작품 〈숨쉬는 영정〉, 〈살아 있는 날들〉, 〈일어서는 산〉 외 다수

- **저서** 《한국단편소설의 이해》, 《한국현대소설의 비평적 성찰》,
  《고교생이 알아야 할 소설》, 《고교생이 알아야 할 세계단편소설》 외 다수

윤병로(尹柄魯)

성균관대학교 국어국문학과 졸업. 동 대학원 졸업(문학박사)
성균관대학교 교수, 문학평론가(현). 한국현대소설학회장(현)
한국문예학술저작권협회 이사(현). 한국간행물윤리위원회 위원(현)
한국펜 문학상(1987). 한국문학상(1988). 대한민국문학상(1989)
수필집 《나의 작은 애인들》 외 다수

- **저서** 《현대 작가론》, 《한국 현대 소설의 탐구》,
  《한국 근대 작가 작품 연구》, 《한국 현대 작가의 문제작 평설》 외 다수

홍성암(洪性岩)

고려대학교 국어국문학과 졸업. 한양대학교 대학원 국어국문학과 졸업(문학박사)
동덕여자대학교 교수, 소설가(현). 한국문인협회 회원(현)
한국소설가협회 이사(현). 국제펜 한국본부 소설분과 이사(현). 한민족 문화학회 회장(현)
창작집 《큰 물로 가는 큰 고기》, 《어떤 귀향》 외
대하역사소설 《남한산성》(전9권) 외 다수

- **저서** 《문학의 이해》, 《현대 작가론》, 《한국 근대 역사소설 연구》 외 다수

기획 · 감수

파리 개선문에 새겨진 조각

논술 *세계대표문학*을 펴내며

21세기의 사회는 **'전자 문명 시대'**라 일컬어질 만큼 오늘날 전자 산업은 우리 생활의 거의 모든 분야에 다양하게 응용되고 있습니다. 출판 분야 또한 예외는 아니어서, 종래의 서책(Book) 대신에 이른바 '전자책(CD-ROM)'의 출간이 최근 들어 날로 증가하고 있습니다.

그러나 이러한 전자책은 영상 또는 모니터상으로 흥미 위주나 백과사전식 지식을 습득하는 데는 효과적일지 모르지만, 문학 공부를 위해서는 별로 도움이 되지 않습니다. 바꾸어 말하면, 문학 공부는 각 지면마다 살아 숨쉬는 표현 하나하나를 독자 자신의 머리로 음미하면서 작품을 읽어 나가는 가운데, 풍부한 상상력의 배양과 함께 작가의 의도와 그 작품의 내면을 깊이 있게 이해함으로써 이루어지는 것입니다.

이에 훈민출판사에서는, 자라나는 학생들이 범람하는 영상 매체에 길들여지기 전에, 어려서부터 유명한 세계문학 작품들을 책자를 통하여 감명 깊게 읽고 감상함으로써, 올바른 문학 공부의 기틀을 다지고, 아울러 전인 교육도 할 수 있도록 《논술 세계대표문학(전60권)》을 펴내게 되었습니다.

작품 선정은, 초·중·고등학교 국어 교과서와 역사 교과서에 실리거나 소개된 문학 작품을 중심으로 하되, 그리스 신화와 성경 이야기 등의 고전에서부터 중세·근대·현대에 이르기까지 세르반테스·셰익스피어·톨스토이 등 세계 유명 작가들의 장·단편 소설들을 엄선·수록하였습니다. 또 세계의 명시도 별권으로 엮었으며, 특히 각 단락마다 **'논술 문제'**를 제시하여, 장차 대학입시를 비롯한 각종 '논술 고사'에 예비 지식을 쌓을 수 있도록 배려하였습니다. 아무쪼록, 이 《논술 세계대표문학(전60권)》이 자라나는 학생들에게 문학 공부의 주춧돌이 되고, 나아가 미래를 살아가는 데 **정신적 자양분**이 되기를 진심으로 바라 마지않습니다.

훈민출판사

차례

좁은 문/ 12

작품 알아보기/ 190

논술 길잡이/ 191

좁은 문

지 드

지은이

1869~1951년. 프랑스 파리 출생. 엄격한 기독교 집안의 편모슬하에서 성장. 태어날 때부터 허약한 체질이어서 몇 번이나 퇴학을 거듭하는 등 학업이 불규칙했다. 사촌누이이자 나중에 아내가 된 마들렌에 대한 사랑을 계기로, 1891년 〈알드레 왈테르의 수기〉라는 작품을 쓰게 되었다. 이후 〈배덕자〉, 〈좁은 문〉, 〈여인 학교〉, 〈전원 교향곡〉 등 많은 작품을 발표하였다.

문학 잡지 〈신 프랑스 평론〉을 창간하여 마르탱 뒤 가르, 자크 리비에르, 발레리 라르보 등의 작가를 발굴하였다. 1947년에 노벨 문학상을 수상한 그는 지병으로 1951년 사망하였다.

좁은 문

어린 시절의 추억

내가 여기서 하려는 이야기는 내가 온 힘을 다해 산 체험으로, 내 모든 힘과 정신을 기울인 삶의 이야기입니다.

따라서 나는 내 추억을 되새기며 적어 볼 따름으로, 이 추억이 여기저기 토막나 있다 하더라도 그것을 꿰매거나 맞추기 위해 다른 얘기들을 지어 내는 따위의 행동은 결코 하지 않겠습니다.

그러한 행동은 추억을 이야기함으로써 얻으려는 나의 마지막 즐거움마저 앗아갈 것이기 때문입니다.

아버지가 돌아가신 것은 내가 채 열두 살도 되기 전이었습니다.

어머니는 아버지가 의사로 계시던 르아브르에 더 이상 머물러 있을 필요가 없다고 판단하시고, 나의 교육을 위하여 파리로 이사갈 것을 결정하셨습니다.

어머니와 나는 뤽상부르 공원 근처에 있는 조그마한 아파트를 세내어, 그 곳에서 애슈부르통과 함께 살게 되었습니다. 가족 친지 하나 없는 미스 플로라 애슈부르통은 처음에는 어머니의 가정교사였다가 이어 말벗이 되더니 곧 친한 친구가 되었습니다.

나는 부드럽고 쓸쓸한 표정에 늘 상복만 입고 있던 것으로 기억되는 이 두 여인 곁에서 자라났습니다.

　그러던 어느 날, 아버지가 돌아가신 지 오랜 뒤라고 생각되는 날 아침이었습니다. 어머니가 모자에 검은 리본 대신 연보라색 리본을 단 것을 보고 나는 나도 모르게 소리쳤습니다.

　"엄마, 그런 색은 엄마에게 어울리지 않아요!"

　어머니는 다음 날 다시 검은 리본으로 고쳐 달았습니다.

　나는 건강이 좋지 못한 편이었습니다. 내가 피로해지지 않도록 늘 마음을 쓰던 어머니와 애슈부르통의 갖가지 배려에도 불구하고, 내가 게으른 사람이 되지 않은 것은 내가 공부하는 것을 대단히 즐거워했기 때문입니다.

　초여름으로 접어들자마자 두 여인은 나를 위해서 파리를 떠날 준비를 서둘렀습니다. 더운 여름에 파리에 머물러 있는 것은 내 건강에 결코 도움이 되지 않는다고 여겼기 때문입니다.

　마침 뷔콜랭 외삼촌이 매년 여름이면 가족들과 함께 지내는 별장으로 우리를 초대해 주어, 우리는 6월 중순경 르아브르 근처 퐁그즈마르를 향해 출발했습니다.

　그다지 넓지도 아름답지도 않은 정원, 노르망디 지방의 다른 정원들과 별다른 특징이 없는 정원 안에, 3층으로 된 외삼촌의 하얀 별장은 18세기 양식으로 세워져 있었습니다.

　정원의 동쪽편을 향해 20여 개의 창이 달려 있고, 반대쪽으로도 그만큼의 창이 달려 있었습니다. 그러나 양쪽으로는 창이 하나도 없었습니다. 창에는 작은 창유리들이 끼워져 있었는데, 최근에 갈아 끼운 몇 개의 유리는 오래 된 유리창 사이에서 너무도 깨끗해서, 상대적으로 옆의 오래 된 유리창들을 몹시 푸르고 어두워 보이게 했습니다. 그 중에서 어떤 창유리는 집안 식구들이 '거품'이라 부르는 흠집이 있었는데, 그 유리를 통해 밖을 내다보면 나무가 뒤틀려 보이고, 그 앞을 지나가는 우편 배달부에게는 있지도 않은 혹이 달려 보이기도 했습니다.

긴 네모꼴의 이 정원은 담으로 둘러싸여 있었습니다. 정원에는 꽤 넓은 그늘을 이루는 나무들과 널찍한 잔디밭이 있었는데, 모래와 자갈이 깔린 작은 길이 나무들과 잔디밭을 에워싸고 있었습니다. 또 담이 낮아 정원을 둘러싸고 있는 농가의 뜰이 보였는데, 이 고장 특유의 방식대로 너도밤나무를 심은 길이 농장의 뜰을 구분하고 있었습니다.

집의 서쪽인 뒤편으로는 정원이 한결 시원스레 트여 있었습니다. 꽃이 만발한 과일나무, 울타리 앞의 남쪽에 나 있는 오솔길은 포르투갈산 월계수의 두터운 장막과 몇 그루의 나무들에 의해 바닷바람을 피하게 되어 있었습니다.

북쪽의 담을 따라 뻗어나간 또 하나의 오솔길은 나뭇가지 사이로 가려져 있었는데, 내 사촌 누이들은 그 곳을 '어두운 길'이라 불렀습니다. 그리고 저녁놀이 진 다음에는 결코 그 곳으로 가려고 하지 않았습니다.

이 두 오솔길은 채소밭에 닿아 있었고, 이 채소밭은 몇 층계 더 내려가면 아래 정원과 닿아 있었습니다. 그리고 채소밭의 구석 쪽으로 조그만 비밀문이 나 있는 담 저쪽편엔 벌채림이 보였는데, 너도밤나무가 좌우로 늘어선 길이 그 곳까지 이어지고 있었습니다.

서쪽 현관 층계에서 바라보면, 먼저 숲 너머로 들녘이 보이고, 들녘을 뒤덮은 농작물의 수확을 감탄과 함께 볼 수 있었습니다. 그리고 그리 멀지 않은 지평선에는 자그마한 마을의 교회가 보였으며, 해질녘 바람이 잔잔할 때면 몇몇 집에서 피어오르는 연기도 볼 수 있었습니다.

여름철 아름다운 저녁이면, 우리 아이들은 식사를 마치고 '아래 정원'으로 내려갔습니다. 우리는 작은 비밀 문을 통해 그 지방 일부분을 굽어볼 수 있는 너도밤나무 가로수 길의 벤치까지 갔습니다. 지금은 폐광된 이회암(모래에 진흙이 덮여서 된 석회질의 암석) 채굴터의 오두막집 가까이에 놓인 그 벤치에 외삼촌, 어머니, 애슈부르통이 앉아 있곤 했던 것입니다.

우리 맞은편에 있는 자그마한 계곡에는 안개가 자욱했고, 그 너머 숲 위의 하늘은 붉게 물들어가고 있었습니다. 어두워진 뒤에도 우리는 한참 동안을 정원에서 시간을 보내곤 했습니다.

이윽고 다시 집에 돌아오면 우리는 응접실에서 외숙모를 뵙게 되곤 했습니다. 외숙모는 우리들과는 거의 한번도 밖에 나가지 않았습니다.

어린 우리들에게는 이것으로 저녁 시간이 끝나게 되었습니다. 그러나 우리는 침실에서, 흔히 밤이 이슥해서 어른들이 올라오시는 발자국 소리가 들릴 때까지 책을 읽곤 했습니다.

하루 중 정원에서 보내는 시간 이외에 우리는 대부분을 외삼촌의 서재에서 보냈습니다. 외삼촌의 서재 '자습실'에는 우리가 공부할 수 있는 책상이 나란히 놓여 있었습니다. 사촌 동생인 로베르와 나는 나란히 앉아 공부했고, 뒤에서는 쥘리에트와 알리사가 공부를 했습니다. 알리사는 나보다 두 살 위였고 쥘리에트는 한 살 아래였으며, 로베르는 넷 중 가장 나이가 어렸습니다.

내 이야기의 시작은 아버지가 돌아가신 그 해부터라고 할 수 있습니다. 아마도 내 감수성은 아버지의 죽음과 내가 느끼는 비애 때문이 아니더라도, 적어도 어머니의 슬픔을 보는 것만으로도 지나치게 자극을 받은 나머지 새로운 감정을 일으켰고, 결국 나는 상당히 조숙하게 성장했습니다.

그 해, 다시 우리가 퐁그즈마르에 왔을 때 쥘리에트와 로베르는 아직 퍽 어려 보였습니다. 그와 반대로 우리는 알리사를 대하는 순간 알리사가 이제 더 이상 어린애가 아니라는 것을 깨달았습니다.

그것은 분명히 아버지가 돌아가신 해의 일이었습니다. 우리가 도착한 직후 애슈부르통과 어머니가 주고받은 대화가 내 기억을 뒷받침해 주고 있습니다.

나는 아무 생각 없이 어머니와 애슈부르통이 이야기하고 있던 방으로 들어갔었습니다. 이야기는 외숙모에 관한 것이었습니다.

어머니는 외숙모가 상복을 입지 않은 것에 대해, 혹은 입었다 하더라도 그것을 벌써 벗어 버린 데 대해 대단히 노여워하고 있었습니다(사실 상복을 입은 뷔콜랭 외숙모를 상상한다는 것은 화려한 옷차림의 어머니를 상상해 보는 것만큼이나 어색한 노릇이었습니다).

내 기억으로는 우리가 도착하던 날 뤼실 뷔콜랭 외숙모는 모슬린으로 만든 옷을 입고 있었습니다. 언제나 그렇듯이 타협적인 애슈부르통은 어머니를 진정시키려고 노력하면서 조심스럽게 말하고 있었습니다.

"어쨌든 흰 옷이니까 상복이라고 할 수 있잖아요."

"아니, 그럼 어깨에 걸치고 있는 그 빨간 숄도 상복이라 할 수 있겠어요? 플로라, 내 화를 돋울 참이군요!"

하고 어머니가 소리쳤습니다.

내가 외숙모를 볼 수 있는 시간은 여름 방학 동안이었으므로, 가슴까지 깊이 패인 그 낯익은 웃옷 차림은 분명 여름의 더위 탓이었을 것입니다. 어머니의 눈에 거슬린 것도 드러난 어깨 위에 걸치고 있었던 숄의 타는 듯한 빛깔보다는 가슴을 깊이 파낸 외숙모의 옷차림 때문이었습니다.

외숙모는 무척 아름다웠습니다. 내가 아직도 간직하고 있는 외숙모의 초상화는 그 당시 외숙모의 모습을 그대로 보여 주고 있습니다. 자기 딸들의 큰언니처럼 보일 만큼 앳된 모습으로, 비스듬히 앉아서 늘 하던

식으로 턱을 왼손에 괸 채 새끼손가락을 맵시 있게 입술 가로 굽히고 있습니다. 올이 굵은 헤어네트가 목덜미 위로 반쯤 흘러내린 곱슬머리 다발을 받치고 있습니다. 웃옷의 깃 사이로 움푹 패여진 곳엔 검은 비로드로 만든 느슨한 목걸이에 이탈리아식 모자이크의 메달이 달려 있습니다. 큼직한 매듭이 흔들거리는 검은 비로드로 만든 허리띠, 모자 끈으로 의자 등걸이에다 매달아 놓던 차양이 넓고 부드러운 밀짚모자 등, 이 모든 것이 외숙모의 모습을 더욱 앳되어 보이게 했습니다. 오른손은 아래로 내려뜨린 채 덮여진 한 권의 책을 들고 있습니다.

외숙모는 식민지 출신이었습니다. 부모를 알지 못하거나 아니면 아주 일찍 여의었다고 했습니다.

그 후 어머니가 들려 준 이야기로는, 외숙모는 내버려졌거나 고아였는데, 그 때 아직 어린애가 없던 보티에 목사 부부가 돌보게 되었고, 마르티니크 섬을 떠나 뷔콜랭 가가 살고 있던 르아브르로 올 때 데리고 왔다고 합니다. 보티에 가와 뷔콜랭 가는 서로 친하게 지냈다고 합니다.

외삼촌은 당시 외국의 어떤 은행에 근무하고 있었는데, 그 후 3년 만에 가족들 곁으로 돌아왔을 때 어린 외숙모를 보게 되었습니다. 외삼촌은 첫눈에 반해서 곧 청혼을 했고, 그로 인해 외할머니, 외할아버지, 그리고 누나인 나의 어머니를 무척 속상하게 했다고 합니다.

당시 외숙모 뤼실은 열여섯 살이었습니다. 그 사이에 보티에 부인은 아이를 둘이나 낳게 되었고, 뤼실은 날이 갈수록 성격이 비뚤어져만 갔습니다. 보티에 부인은 수양딸로 인해 자기 아이들이 나쁜 영향을 받게 되지나 않을까 두려워하기 시작했습니다. 게다가 살림살이도 옹색해졌고……. 이런 이유들로 보티에 가에서는 외삼촌의 청혼을 기꺼이 받아들였다고 합니다.

내 짐작으로는 그 외에도 사춘기에 이른 뤼실이 보티에 부부를 곤란하게 만든 일이 더러 있었을 것으로 생각됩니다.

르아브르의 사교계를 잘 알고 있는 나로서는, 남자의 마음을 매혹시킬 그런 아가씨를 사람들이 어떻게 대했을지 쉽사리 짐작할 수 있습니다. 나중에야 알게 되었지만 성격이 온유하고 신중하면서도 순박하여 속임수엔 도무지 감당을 못하고 악한 짓에 대해서도 전혀 무력한 이 어진 목사는 뤼실로 인해 분명 궁지에 몰렸을 것입니다.

한편 보티에 부인에 관해서는 아는 게 아무것도 없습니다. 부인은 넷째 아이, 나와 같은 또래로 후에 내 친구가 된 아들을 낳고 세상을 떠나고 말았기 때문입니다.

뤼실 외숙모는 우리와 별로 어울리지 않았습니다. 점심 식사가 끝난 후에야 겨우 자기 방에서 내려와, 소파 혹은 해먹 위에 몸을 길게 뻗고 저녁때까지 누워 있다가 나른해져서는 지친 듯이 일어났습니다.

그녀는 땀의 흔적이라고는 전혀 없는 뽀송뽀송한 이마에 마치 땀이라도 훔쳐 내려는 듯이 때때로 손수건을 갖다 대곤 했습니다. 섬세한 모양에 과일 향기가 풍기는 그 손수건이 내게는 무척 신기해 보였습니다.

때때로 그녀는 허리에서 시곗줄에 여러 가지 물건과 함께 매달려 있는 조그마한 거울을 꺼냈습니다. 은으로 만든 매끄러운 뚜껑이 있는 이 거울에 자기 얼굴을 비춰 보면서 손가락 하나를 입술에 갖다 대어 침을 조금 묻혀서 눈꼬리를 적시곤 했습니다.

그녀는 늘 책을 한 권 들고 있었는데 늘 덮여진 채 있었으며, 책 중간쯤엔 자라 등껍질로 만든 페이퍼나이프 겸용의 서표가 끼워져 있었습니다. 사람이 다가가도 여전히 공상에 잠긴 채, 눈을 돌려 누구인지 확인하려고도 하지 않았습니다.

때로는 그 힘없이 나른해진 손에서, 소파의 팔걸이에서, 혹은 치마폭의 주름 사이에서, 손수건이나 책, 혹은 꽃이라든가 페이퍼나이프가 떨어지곤 했습니다.

저녁 식사가 끝난 뒤에도 외숙모는 우리들이 있는 가족 테이블로 오지 않고 피아노 앞에 앉아 쇼팽의 느린 마주르카를 치곤 했습니다. 때로 박자가 틀리면 어느 한 음만을 누른 채 움직이지 않고 앉아 있었습니다.

외숙모 곁에 있으면 나는 언제나 묘한 거북스러움, 불안함과 함께 일종의 감탄과 두려움이 섞인 느낌을 가졌습니다. 무의식적인 어떤 본능이 외숙모를 경계하도록 했는지도 모릅니다. 게다가 나는 외숙모가 애슈부르통과 어머니를 경멸한다는 사실, 또한 애슈부르통은 그녀를 두려워하며 어머니는 그녀를 좋아하지 않는다는 사실을 알고 있었습니다.

뤼실 뷔콜랭 외숙모! 나는 이제 더 이상 당신에게 나쁜 감정을 품고 있지 않습니다. 또 당신이 많은 잘못을 저질렀다는 사실도 잊고 싶은 심정입니다⋯⋯. 적어도 노여움 없이 당신에 대해 이야기하도록 하겠습니다.

그 해 여름의 어느 날——아니면 그 다음 해 여름이었는지도 모릅니다. 언제나 비슷한 배경 속에서 내 기억은 가끔 뒤섞입니다——책을 한 권 찾으러 응접실로 들어갔는데 외숙모가 거기에 계셨습니다. 나는 곧 되돌아나오려고 했습니다. 그런데 평소에는 나를 거들떠보지도 않던 외숙모가 나를 불렀습니다.

"제롬! 왜 그렇게 급히 나가려고 하니? 내가 무섭니?"

나는 가슴이 두근거리면서 그녀에게 다가갔습니다. 그리고 억지로 미소를 지어 보이면서 손도 내밀었습니다. 그녀는 한 손으로 내 손을 잡고 다른 한 손으로 내 얼굴을 어루만졌습니다.

"너의 어머니는 어쩌면 이렇게도 보기 흉하게 옷을 입혔을까? 이런, 가엾어라……."

그 때 나는 넓은 깃이 달린 일종의 세일러복을 입고 있었는데, 외숙모는 내 옷깃을 만지작거리기 시작했습니다.

"세일러복의 칼라는 훨씬 더 젖혀 입는 거야!"

내 셔츠 단추를 한 개 풀면서 그녀가 말했습니다.

"자! 봐라. 이렇게 하는 것이 훨씬 더 낫잖니?"

그러고는 그 조그마한 거울을 꺼내더니 자기 얼굴 가까이에 내 얼굴을 끌어당기고 드러낸 팔로 내 목을 휘감았습니다. 이어서 반쯤 열려진 내 셔츠 속으로 자기 손을 집어넣고 웃으며 간지럽지 않느냐고 물으면서 자꾸만 더 속으로 손을 밀어넣었습니다.

내가 깜짝 놀라 펄쩍 뛰어 일어나는 바람에 그만 세일러복이 찢어지고 말았습니다. 나는 얼굴이 새빨갛게 달아올랐습니다.

"어머, 이런 바보!"

하고 외숙모가 소리치는 동안 나는 도망치고 말았습니다. 정원 끝까지 달려가서는 그 곳 채소밭에 있는 조그마한 빗물통 속에 손수건을 축여, 뺨과 목덜미 할 것 없이 그녀의 손이 닿았던 곳은 남김없이 닦고 문질렀습니다.

외숙모는 때때로 발작을 일으키곤 했습니다. 갑자기 발작을 일으킬 때마다 외숙모는 집안을 발칵 뒤집어 놓았습니다. 애슈부르통은 부랴부랴 아이들을 데리고 나가 신경 쓰지 않게 하려고 하였지만, 침실이나 응접실에서 들려오는 그 무서운 고함 소리를 우리가 듣지 않을 수는 없었습니다. 이럴 때면 외삼촌은 정신 없이 수건이나 화장수, 에테르 등을

찾으러 복도를 뛰어다녔습니다.

저녁때 아직도 외숙모가 나타나지 않는 식탁에서 외삼촌은 근심에 찬 불안한 얼굴을 하고 있었습니다. 발작이 거의 멎으면 외숙모는 자기 아이들을 곁으로 불렀습니다. 주로 로베르와 쥘리에트를 불렀습니다. 알리사를 부르는 일은 거의 없었습니다.

이렇게 슬픈 날이면 알리사는 꼼짝 않고 자기 방에 틀어박혀 있었습니다. 이따금 외삼촌이 그녀를 보러 가곤 했는데, 외삼촌은 곧잘 그녀와 이야기를 나누었습니다.

외숙모의 발작은 하인들에게도 매우 충격적이었습니다. 발작이 유난히도 심하던 어느 날 저녁, 응접실에서 벌어지는 일이 잘 들리지 않는 어머니 방에 꼼짝 말고 들어가 있으라는 말을 듣고 어머니와 함께 들어앉아 있는데,

"주인님, 빨리 내려오세요. 마님께서 곧 돌아가실 것 같아요."
하는 하녀의 외침과 함께 복도를 급히 뛰어가는 소리가 들렸습니다.

그 때 외삼촌은 알리사의 방에 올라가 계셨습니다. 어머니가 외삼촌을 부르러 가셨습니다.

한 15분 정도 지난 후에 내가 있던 방의 열려진 창 앞으로 어머니와 외삼촌이 무심히 지나갈 때, 어머니의 목소리가 들려왔습니다.

"내가 똑바로 말해 볼까? 이건 모두가 연극이야!"
그리고 어머니는 음절을 또박또박 끊으면서,
"연, 극, 이, 야!"
라고 힘주어 말했습니다.

이 일이 일어난 것은 방학이 끝나갈 무렵으로, 아버지가 돌아가신 지 2년 후의 일이었습니다.

그 후로 나는 오랫동안 외숙모를 만나지 못했습니다. 그러나 우리 집안을 뒤엎은 그 슬픈 사건과 그러한 결말이 나기 조금 앞서, 내가 외숙모에 대해 느꼈었던 복잡한, 그 때까지 분명치 않았던 감정을 뚜렷한 증오감으로 바뀌게 한 우연하고도 작은 사건을 이야기하기 전에, 나는 이제 사촌누이에 대해서 이야기할 때라고 생각합니다.

알리사 뷔콜랭이 예쁘다는 사실을 나는 그 때까지도 느끼지 못하고 있었습니다. 나는 단순한 아름다움의 매력에서라기보다는 다른 어떤 매력에 이끌려 항상 알리사의 곁에 머물렀습니다.

물론 알리사는 자기 어머니를 많이 닮아 있었습니다. 그러나 그녀의 눈매나 분위기가 외숙모와는 너무도 달랐기 때문에 나는 서로가 닮았다는 사실을 훨씬 뒤에야 깨달았습니다.

나는 지금도 그녀의 얼굴 모습을 전혀 말할 수가 없습니다. 얼굴의 윤곽뿐 아니라 눈동자마저도 무슨 색깔이었는지를 떠올리지 못합니다. 단지 기억할 수 있는 것은, 그 무렵에 벌써 수심에 잠겨 있는 듯한 슬픈 표정과 커다란 곡선을 그리면서 눈에서 떨어져 있는 눈썹의 선뿐입니다. 나는 그러한 눈썹을 어디서고 본 적이 없습니다. 오직 단테 시대 플로렌스의 작은 입상에서 본 적이 있을 뿐입니다. 그래서 나는 어릴 때의 베아트리체도 그처럼 높이 곡선을 그린 눈썹을 하고 있었으리라 상상하고 싶습니다.

이 눈썹은 걱정스러운 동시에 또 신뢰하는 듯한 질문의 표정, 열정적인 질문의 표정을 알리사의 눈동자에, 아니 몸 전체에 띠게 해 주었습니다.

그녀에게 있어서는 모든 것이 질문이요, 기다림이었습니다. 이런 물음과 같은 것이 어떻게 나를 사로잡았으며, 나의 일생을 결정짓게 되었는가를 이제부터 이야기하려고 합니다.

보는 사람에 따라서는 쥘리에트가 더 예뻐 보였을지도 모릅니다. 그녀에게서는 기쁨과 건강이 빛을 발하고 있었습니다. 그러나 그녀의 아름다움은 언니의 우아함과 비교할 때 왠지 외형적이어서 누구에게나 금방 드러나 보였습니다. 사촌 동생 로베르는 별다른 특징이 없었으며 그냥 내 나이 또래의 아이였을 뿐이었습니다.

나는 쥘리에트나 로베르하고 같이 놀았으며, 알리사와는 함께 이야기만 나눌 뿐이었습니다. 알리사는 우리 놀이에 거의 끼어들지 않았습니다. 과거의 추억을 아무리 뒤져 보아도, 내 눈앞에 떠오르는 알리사는 진지하고 부드러운 미소를 띤 채 명상에 잠겨 있는 듯한 모습입니다.

우리는 무슨 이야기를 했던가? 어린아이 둘이서 무슨 이야기를 할 수 있었을까? 그러나 그보다도 우선 다시는 외숙모 이야기를 꺼내지 않아도 되게끔 이쯤에서 외숙모에 관한 이야기를 끝맺을 생각입니다.

아버지가 돌아가신 지 2년 후에 어머니와 나는 부활절 휴가를 보내기 위해 르아브르에 갔습니다. 외삼촌 집은 우리 모두가 함께 지내기에는 비좁았기 때문에 한결 넓은 이모 집에서 지내기로 했습니다.

내가 좀처럼 만날 기회가 없었던 플랑티에 이모와 나보다 훨씬 나이도 많고 성격도 나와는 많이 다른 이모의 아이들을 나는 겨우 얼굴이나 알 정도였습니다.

르아브르 사람들이 '플랑티에 댁'이라고 부르는 이모 집은 시내에 있지 않고 '산기슭'이라 불리는, 시내가 내려다보이는 언덕배기 중턱에 있었습니다. 외삼촌 댁은 시내 상가 근처에 있었으므로 가파른 언덕길로 이 두 집을 순식간에 오고갈 수가 있었습니다. 나는 하루에도 몇 차례씩 이 길을 달려 내려갔다가는 다시 기어오르곤 했습니다.

어느 날, 나는 외삼촌 집에서 점심을 먹었습니다. 식사 후 얼마 안 있어 외삼촌은 곧 외출을 했습니다. 나는 외삼촌을 따라 시내 사무실까지 갔다가 어머니를 찾아 플랑티에 이모 집으로 갔습니다.

그러나 어머니는 이모와 함께 외출을 해서 저녁 식사 때나 돌아온다고 했습니다. 나는 다시 시내로 내려왔습니다. 나는 그 때까지 시내에서 자유롭게 산책할 기회를 갖지 못했었습니다.

나는 항구까지 걸어갔습니다. 부두는 바다의 안개로 뒤덮여 음울해 보였습니다. 나는 한두 시간 동안 선창가를 헤매어 다녔습니다.

그러다가 불현듯 방금 만나고 온 알리사를 다시 찾아가 놀라게 해 주고 싶은 생각이 들었습니다. 나는 달음질쳐서 시내를 지나 외삼촌 댁의 초인종을 눌렀습니다. 그러고는 이미 층계 위를 뛰어오르고 있었습니다. 그런데 대문을 열어 준 하녀가 나를 가로막았습니다.

"올라가지 마세요, 제롬 도련님. 올라가지 마세요. 마님께서 발작을 일으키셨어요."

그러나 나는 하녀의 만류를 뿌리치고 올라갔습니다.

"나는 외숙모를 보러 온 것이 아냐."

알리사의 방은 4층에 있었습니다.

2층에는 응접실과 식당이 있었고 3층에 외숙모 방이 있었는데, 그 곳에서 말소리가 새어 나오고 있었습니다. 문이 열려 있었는데, 나는 어떻게 해서든 그 방문 앞을 지나가야만 했습니다.

방에서 한 줄기 불빛이 흘러나와 복도에 비치고 있었습니다. '들키지나 않을까' 가슴을 죄며 나는 잠시 주저하다가 그 방 앞을 지나게 되었습니다. 그리고 다음과 같은 광경을 목격하고 너무 놀라 꼼짝할 수 없었습니다. 나는 몸을 숨긴 채 본의 아니게 방 안을 엿보게 되었습니다.

커튼이 쳐져 있긴 했지만 두 개의 화려한 촛대에 꽂힌 촛불이 환한 불빛을 뿌리고 있는 방 한가운데에서 외숙모가 긴 의자에 누워 있고,

그 발 아래로는 로베르와 쥘리에트가 앉아 있었습니다. 그리고 외숙모 뒤로는 중위 복장을 한 낯선 청년이 서 있었습니다.

두 아이가 그 자리에 있었던 것은 지금 생각해 보면 망측한 일이지만, 당시 나의 순진한 마음으로는 오히려 마음이 놓였습니다.

아이들은 맑고 부드러운 목소리로 이렇게 말하고 있는 그 청년을 바라보며 웃고 있었습니다.

"뷔콜랭, 뷔콜랭! 만약 내게 양 한 마리가 있다면 틀림없이 뷔콜랭이라는 이름을 붙였을 거야."

외숙모가 깔깔거리며 웃더니 그 청년에게 담배를 내밀었습니다. 청년은 외숙모의 담배에 불을 붙여 주었고 외숙모는 몇 모금 빨았습니다. 그러다가 담배가 바닥에 떨어졌습니다. 그러자 청년은 떨어진 담배를 주우려고 일어서더니 발이 솔에 걸린 척하면서 외숙모 앞에 무릎을 꿇었습니다……. 이 우스꽝스런 연극 덕분에 나는 들키지 않고 그 곳을 지나칠 수 있었습니다.

이윽고 나는 알리사의 방에 다다랐습니다. 나는 잠시 방 문 앞에 서 있었습니다. 또다시 웃음소리와 떠드는 소리가 아래층에서 들려왔습니다. 아마도 그 소리가 내 노크하는 소리를 덮어 버렸는지 안에서는 아무 대답이 없었습니다.

문을 밀어 보니 조용히 열렸습니다. 방 안은 벌써 어두컴컴해져서 나는 잠시 동안 알리사를 찾아낼 수가 없었습니다. 그녀는 저무는 햇살이 스며드는 창문을 등진 채 침대 머리맡에 무릎을 꿇고 있었습니다.

내가 가까이 다가가자 그녀는 꼼짝도 않은 채 고개만 돌리고 이렇게 속삭이듯 말했습니다.

"아! 제롬, 왜 돌아왔니?"

나는 입을 맞추려고 몸을 굽혔습니다. 그녀의 얼굴은 눈물에 젖어 있었습니다…….

　아! 이 순간이 나의 일생을 결정지어 버렸습니다. 지금도 그 순간을 돌이켜 보면 마음이 쥐어뜯기는 것처럼 괴롭습니다. 물론 나로서는 알리사의 슬픔의 동기를 어렴풋이 짐작할 뿐이었습니다. 그러나 나는 그러한 슬픔이 팔딱거리는 이 조그마한 영혼과, 흐느낌으로 온통 흔들리는 이 연약한 육체에게는 너무도 가혹한 것이라는 사실이 뼈저리게 느껴졌습니다.

　나는 여전히 무릎을 꿇고 있는 알리사의 곁에 언제까지고 서 있었습니다. 나는 내 마음속에 솟아오르는 이 새로운 격정을 어떻게 말로 나타내어야 좋을지 몰랐습니다. 단지 그녀의 머리를 내 가슴에 꼭 껴안고 내 영혼이 흘러넘치는 입술을 그녀의 이마에 대고 있을 뿐이었습니다.

　사랑과 연민, 그리고 감격·희생·정성이 뒤얽힌 어떤 막연한 감정에 도취되어, 나는 내 일생의 목적이 알리사를 공포나 불행으로부터 지켜 주는 것 이외에는 없다고 생각했습니다. 나는 온 힘을 다하여 하느님께 호소했으며, 나아가 그 일에 내 몸을 바치기로 다짐했습니다.

　마침내 나는 기도드리고 싶은 마음으로 가득 차서 무릎을 꿇고 그녀를 내 몸으로 감싸 주었습니다. 그러자 그 때 어렴풋이 알리사의 목소리가 들려왔습니다.

　"제롬! 들키지 않았어? 자! 빨리 가, 들키면 안 돼."

　그리고 좀더 목소리를 낮추어 말했습니다.

　"제롬, 아무에게도 말하지 마. 가엾은 아버진 아무것도 모르셔……."

　그래서 나는 어머니에게조차 이 말을 하지 않았습니다. 그러나 플랑티에 이모와 어머니와의 끊임없는 수군거림, 두 사람의 근심스런 표정이나 뭔가 숨기는 듯한 안절부절못하는 모습, 또 그들이 얘기를 나누는 곳에 내가 갈 때마다, "애야, 저리 가서 놀아라."하며 나를 멀리하던 일, 이런 일을 돌이켜 보면, 이모와 어머니도 외숙모의 비밀을 알고 있는 듯했습니다.

우리가 파리로 돌아오자마자 한 장의 전보가 어머니를 다시 르아브르로 불러갔습니다. 외숙모가 집을 나가 버렸다는 것입니다.

"누구하고요?"

나는 어머니가 나를 맡기고 간 애슈부르통에게 물었습니다.

"그것은 네 어머니께 여쭤 봐라. 난 뭐라 대답할 수 없구나."

이번 사건에 완전히 어리둥절해진 애슈부르통이 대답했습니다.

이틀 후에 애슈부르통과 나는 어머니를 좇아 르아브르로 떠났습니다. 그 날은 토요일이었습니다. 따라서 다음 날은 교회에서 사촌 누이들을 만나게 될 것이었습니다. 그 생각만이 내 마음을 사로잡고 있었습니다.

어린 내 마음으로는 우리가 그런 장소에서 만남으로써 우리들의 재회가 신성화된다는 사실이 무척 대견스러웠습니다. 어쨌든 외숙모의 일 따위는 별로 생각하지 않았으며, 어머니에게 캐묻지 않는 편이 더 좋을 것이라 여겼습니다.

일요일 아침, 교회에는 사람들이 별로 많지 않았습니다. 보티에 목사는 아마도 의식적으로 그러는 것이겠지만, '힘을 다하여 좁은 문으로 들어가기를 힘쓰라'는 그리스도의 말씀을 설교의 주제로 삼으셨습니다.

알리사는 나보다 조금 앞자리에 앉아 있었습니다. 나는 알리사의 옆모습만을 바라볼 수 있었습니다. 나는 그녀를 바라보는 데 정신이 팔려 있었기 때문에 주의 깊게 듣고 있던 설교 말씀도 그녀를 통해 듣는 듯싶었습니다.

외삼촌은 어머니 곁에 앉아 눈물을 흘리고 있었습니다.

보티에 목사는 먼저 전체 구절을 낭독했습니다.

"좁은 문으로 들어가라. 멸망으로 인도하는 문은 크고 그 길이 넓어 그리로 들어가는 자가 많고, 생명으로 인도하는 문은 좁고 험하여 찾는 이가 적음이니라."

그러고 나서 보티에 목사는 주제를 명백하게 분류하여 먼저 넓은 길에 대해 이야기했습니다.

나는 멍하니 정신이 나간 채 꿈꾸는 것처럼 외숙모 방을 다시 그려 보았습니다. 누워서 웃고 있는 외숙모가 보였고, 번쩍이는 옷을 입은 장교가 웃는 것도 보았습니다. 웃음이라든가 기쁨 자체가 불쾌하고 모욕적인 것으로 생각되고 추악한 죄악의 과장인 것처럼 여겨졌습니다.

"그리로 들어가는 자가 많고……."

보티에 목사는 설교를 계속했습니다. 그리고 넓은 문에 대하여 자세히 설명해 나갔습니다. 그 순간 나는 히히덕거리며 행렬을 지으며 넓은 문으로 들어가는 화사한 옷차림의 군중들을 보았습니다. 나는 한사코 그들과 멀어져야 했습니다. 그들과 발을 맞추어 나가면 그만큼 알리사에게서 멀어져야 하기 때문에, 나는 그런 행렬에 낄 수도 없고 또 끼어서도 안 되었습니다.

넓은 문에 대한 설명이 끝나자 보티에 목사는 다시 인용문의 첫 구절을 되풀이하면서 좁은 문에 대하여 이야기하기 시작했습니다.

나는 힘써 들어가야 할 그 좁은 문을 보았습니다. 잠겨 있던 꿈 속에서 나는 그 문을 상상하고 그 사이로 애써 들어갔습니다. 힘든 고통이긴 하지만 그 고통엔 천국의 기쁨과 행복이 섞여 있는 것 같았습니다. 그리고 그 문은 바로 알리사의 방 문이 되는 것이었습니다. 나는 그 문으로 들어가고자 스스로를 억제하며 내 속에 이기심으로 남아 있는 모든 것을 비워 버렸습니다.

"생명으로 인도하는 문은 좁고 험하여……."

보티에 목사의 설교는 계속되었습니다.

그 순간 나는 모든 고통과 슬픔 너머로, 순수하고 신비스러우며 맑고 깨끗한 또 다른 기쁨을 상상하고 예감하고 있었습니다. 내 영혼은 이미 그 기쁨을 목마르게 갈망하고 있었습니다.

나는 그 기쁨을 날카로우면서도 부드러운 바이올린의 음색과 같이, 또한 알리사의 마음과 내 마음이 그 속에서 타올라 한데 녹아 버리는 맹렬한 불꽃처럼 상상했습니다.

우리 두 사람은 묵시록에서 말하고 있는 것처럼, 흰 옷을 입고 서로의 손을 잡고 같은 목표를 향해 앞으로 나아가는 것이었습니다.

보티에 목사는 어떻게 해서 좁은 문을 찾을 수 있는가에 대하여 설명했습니다. 그리고 "좁고 험하여 찾는 이가 적음이니라." 라고 끝을 맺었습니다.

"좁고 험하여 찾는 이가 적음이니라……."

나는 다시 한 번 이 말을 중얼거리며, 반드시 찾는 사람 중의 한 사람이 되리라 다짐했습니다.

설교가 끝날 무렵, 내 마음은 너무나도 긴장되어 예배가 끝나자마자 알리사를 만나 보려고도 하지 않고 밖으로 뛰쳐나왔습니다. 벌써부터 나의 결심을 시련에 부딪치게 해 보고 싶었으며, 이렇게 곧 그녀에게서 떨어져 나옴으로써 더욱 그녀에게 가치 있는 인간이 되고 싶다고 생각하며 자랑스러운 마음으로 달려나온 것입니다.

아름다운 꿈

이러한 엄격한 교훈은 의무를 받아들일 준비가 되어 있을 뿐 아니라, 천성적으로 그 터전이 마련되어 있는 나에게 하나의 영혼을 발견할 기회를 주었습니다. 또한 부모님이 보여 주신 모범은 내 마음에서 싹트기 시작한 충동을 억눌러 주던 청교도적 규율과 결합되어 이 영혼을 '덕'이라는 것에게로 이끌어 가 버렸습니다.

이제 나에게는 자신을 억제하는 일은 남들이 방종하는 것만큼이나 자연스러웠고, 나를 얽어매 놓았던 엄격한 규율도 나를 힘들게 하기보다는 오히려 나를 우쭐하게 만들었습니다. 나는 이제 행복 그 자체보다도 행복에 이르기까지의 무한한 노력에 삶의 무게를 두었습니다.

이로써 나는 행복과 덕을 혼동하게 되었습니다.

물론 열네 살 된 소년으로서 내 성격은 아직 완전히 형성된 것이 아니었고, 어떤 방향으로든 변할 수 있는 가능성을 가지고 있었습니다. 그러나 알리사에 대한 나의 사랑이 단호히 나를 그러한 방향으로 이끌어 갔습니다.

그것은 급작스러운 마음의 계시였는데, 그로 인해 나는 나 자신을 의식하게 되었습니다. 즉 자의식이 형성되기 시작한 것입니다.

내 자신 스스로를 돌아보니, 나는 내성적으로 자신의 마음을 밖으로 잘 드러내지 않으며, 늘 기다리고 있는 상태로 남의 일에는 별로 신경을 쓰지 않고 과감성도 없이 자신과 싸워 이겨 낸다는 것 외에 다른 승리를 꿈꾸어 보지 못하는 그러한 인간으로 보였습니다.

나는 공부하기를 좋아했습니다. 놀이를 하더라도 정신을 집중하는 것이라든가 노력을 필요로 하는 것이 아니면 절대로 하지 않았습니다. 내 나이 또래 아이들과는 그다지 친하지 않았고, 설사 그들의 놀이에 어울린다 해도 그것은 단지 의리나 예의로서일 뿐이었습니다.

단 한 사람, 다음 해 파리로 와서 내 동급생이 된 아벨 보티에와는 잘 어울렸습니다. 그는 상냥하고 낙천적인 성격의 소년으로서 나는 그에 대해 뜻이 잘 통하는 친구로서보다는 오히려 애정을 많이 느꼈습니다. 적어도 그와 어울리면 내 마음이 닿아 있던 르아브르와 퐁그즈마르에 대해 이야기를 할 수가 있었기 때문입니다.

외사촌 동생인 로베르는 우리와 같은 중학교의 기숙생으로서, 두 학년 아래 학급에 들어오긴 하였지만 나는 그저 일요일에나 그와 만날 뿐이었습니다.

만약 그가 내 사촌 누이의 동생이 아니었던들——게다가 그는 누나들과 별로 닮지도 않았습니다——나는 그를 만날 생각도 하지 않았을 것입니다.

당시 나는 알리사를 사랑하는 일에 온통 마음을 빼앗기고 있었기 때문에, 로베르와의 우정을 유지하는 일이 나에게는 무척 중요한 의미를 지녔습니다. 알리사는 복음서에 나오는 값진 진주와 같았고, 나는 그 진주를 얻기 위해 내가 가진 모든 것을 팔아 버리는 장사치였습니다.

그 당시 아직 어린애에 불과했던 내가 알리사에게 느끼는 감정을 사랑이라 이야기하고, 사랑이라 부르는 것이 잘못된 일인지 곰곰이 되새겨 보아도, 그 후 내가 살아오면서 경험한 그 어떤 것도 이것 이상 사랑이라는 이름에 적합하다고 여겨진 일은 없었습니다.

뿐만 아니라 가장 뚜렷한 육체적 불안으로 괴로워할 나이가 됐을 때에도 내 기질은 별로 변하지 않았습니다. 즉 어렸을 때 내가 그녀에게 가장 어울리는 사람이 되고자 했던 다짐을 간직하며 노력했을 뿐, 보다 구체적인 방법을 써서 알리사를 내것으로 만들 생각은 없었던 것입니다. 나는 공부, 노력, 경건한 행위 등 모든 것을 오직 알리사를 위해 했으나, 그녀만을 위해 한 일을 그녀에게 알리지 않는 것이 보다 깨끗한 덕행이라고 생각했습니다.

이처럼 나는 독한 술 같은 겸양에 도취해 있었습니다. 나 자신의 즐거움 같은 건 별로 마음에 두지도 않았고, 급기야 나는 어떤 노력이 요구되지 않는 일에는 결코 만족할 수 없게 되어 버렸습니다.

그러나 나만이 이러한 덕행에 대한 경쟁심에 사로잡혀 있었던 것 같습니다. 알리사는 그러한 내 마음을 눈치채고 있는 것 같지도 않았고, 그녀를 위해서 노력을 기울이고 있는 나를 위해, 또는 나 때문에 특별히 어떤 일을 하고 있는 것 같지도 않았습니다.

꾸밈없는 그녀의 영혼은 모든 것이 가장 자연스러운 아름다움으로 빛나고 있었습니다. 그녀의 아름다움은 너무나도 자유롭고 우아했으며, 어린애 같은 그 천진스런 미소는 그녀의 눈길에 깃들인 엄숙한 빛까지도 오히려 매력적으로 보이게 했습니다. 그처럼 부드럽고 다정한, 무엇인가를 묻고 있는 듯한 시선을 살며시 위로 치켜올리는 모습은 지금도 내 눈에 선합니다.

그리고 보면 외삼촌이 마음이 괴로울 때마다 알리사를 찾아가 도움과 위안을 구하시던 까닭도 이해가 갑니다. 그 다음 해 여름, 나는 외삼촌이 자주 그녀와 이야기하는 것을 볼 수가 있었습니다. 슬픔으로 인해 외삼촌은 훨씬 더 늙으신 것 같았습니다. 식사 때도 외삼촌은 통 말이 없으셨습니다. 때때로 갑자기 쾌활한 표정을 애써 지으시곤 하셨는데, 그 모습은 침묵보다도 더 쓸쓸하게 다가왔습니다.

저녁에도 알리사가 찾으러 갈 때까지 외삼촌은 서재에 틀어박혀 담배만 피우고 있었으며, 알리사가 빌다시피 해야 겨우 밖으로 나왔습니다.

알리사는 외삼촌을 마치 어린애처럼 조심스럽게 정원으로 모시고 나왔습니다. 두 사람은 꽃이 만발한 오솔길을 걸어 내려가서 채소밭 계단

근처의, 둥그런 갈림길에 있는 의자에 앉았습니다.

어느 날 저녁 무렵, 나는 크고 붉은 한 그루의 너도밤나무 그늘 밑 잔디밭에 누워 책을 읽으며 시간을 보내고 있었습니다. 꽃이 만발한 오솔길과 나와의 사이에는 월계수 울타리가 있을 뿐이어서, 서로 보이지는 않아도 알리사와 외삼촌의 말소리는 그대로 들려왔습니다. 아마도 로베르에 대한 이야기를 막 끝낸 모양이었습니다.

그런데 그 때 알리사의 입에서 내 이름을 말하는 소리가 들려왔습니다. 내가 그들의 이야기를 분명히 알아들을 수 있게 되었을 때 외삼촌이 큰 소리로 말씀하셨습니다.

"음! 그 애, 그 애라면 언제까지나 공부하길 좋아할 게다."

뜻하지 않게 그들의 대화를 엿듣게 된 나는 자리를 떠나거나 그렇지 않으면 적어도 내가 있다는 것을 알리기 위해서 무슨 기척이라도 내야겠다고 생각했습니다.

하지만 어떻게? 기침을 할 것인가? 아니면 "저 여기 있어요! 이야기 소리가 들려요!"라고 소리를 지를 것인가? 내가 잠자코 있었던 것은 더 들어 보고 싶은 호기심에서가 아니라 어색하고 수줍었기 때문입니다. 더구나 두 사람은 그저 그 곳을 지나쳐 가는 길이었고, 그들의 말소리는 낮고 작아서 나 또한 그들의 이야기를 자세히 듣지는 못했습니다.

두 사람은 천천히 걷고 있었습니다. 아마도 알리사는 여느 때와 마찬가지로 팔에 바구니를 끼고 시든 꽃을 따기도 하고, 아직 푸릇푸릇한데도 자주 끼는 바다 안개 때문에 울타리 밑으로 떨어진 열매들을 줍기도 했을 것입니다.

그녀의 맑은 목소리가 들려왔습니다.

"아버지, 플랑티에 고모부는 훌륭한 분이셨어요?"

외삼촌의 목소리는 낮고 희미했으므로, 나는 외삼촌의 대답을 알아들을 수가 없었습니다.

알리사가 다짐하듯 다시 물었습니다.

"아주 훌륭하셨지요, 네?"

여전히 희미한 대답이어서 내게는 잘 들리지 않았습니다.

그리고 알리사가 다시 물었습니다.

"제롬은 총명하죠?"

이 말에 내가 어떻게 귀를 기울이지 않을 수 있겠습니까? 그러나 외삼촌의 대답은 이번 역시 한 마디도 알아들을 수가 없었습니다.

그녀가 다시 말을 이었습니다.

"훌륭한 사람이 되리라 생각지 않으세요?"

여기서 외삼촌의 목소리가 높아졌습니다.

"하지만 나는 먼저 네가 어떤 뜻으로 '훌륭한'이라는 말을 쓰고 있는지 알고 싶구나. 적어도 사람들의 눈에는 그렇게 보이지 않으면서도 사실은 아주 훌륭한 사람이 있는 법이란다. 하느님의 눈으로 보면 보이는 사람 말이다."

"저도 그런 뜻으로 말한 거예요."

라고 알리사가 말했습니다.

"그렇지만 아직……. 어디 벌써부터야 알 수 있겠니? 그 애는 아직 너무 어리니까……. 그래, 분명히 유망한 애야. 하지만 그것만으로 성공할 수 있는 것은 아니란다."

"그러면 무엇이 더 필요하죠?"

"글쎄, 뭐라고 할까? 신뢰라든가, 도움이라든가, 애정이라든가 그런 것이 필요하겠지."

"도움이라면 무엇을 말하는 것인가요?"

하며 알리사가 외삼촌의 말을 가로막았습니다.

"내가 맛보지 못한 애정이라든가 존경 같은 것 말이다."

외삼촌은 쓸쓸하게 대답했습니다. 그러고 나서는 두 사람의 목소리가 전혀 들리지 않게 되었습니다.

저녁 기도 시간에 나는 본의 아닌 나의 실수를 뉘우쳤습니다. 그리고 알리사에게 그것을 고백하리라 결심했습니다. 이 때는 좀더 알고자 하는 호기심도 섞여 있었을 것입니다.

다음 날, 내가 말을 꺼내자마자 알리사가 말했습니다.

"하지만 제롬, 그렇게 엿듣는 건 아주 나쁜 짓이야. 네가 있다는 기척을 내든가 자리를 떠나든가 했어야 옳지."

"난 분명히 말하지만 엿들으려고 한 게 아니란 말야. 들을 생각도 없었는데 그저 들려왔을 뿐이야. 그리고 두 사람은 그냥 내 앞을 지나가고 있었어."

"우리는 천천히 걷고 있었는걸."

"그래, 그렇지만 내게는 들릴락말락할 정도였어. 그리고 곧 들리지 않게 되었어. 그런데 성공하기 위해서는 무엇이 더 필요한지 네가 물었을 때 외삼촌이 뭐라고 대답하셨어?"

"제롬."

하고 알리사가 웃으며 말했습니다.

"다 듣고 나서 뭘 그래. 내게 한 번 더 되풀이시키고 싶은 거니?"

"아냐, 정말로 그것밖에 듣지 못했다니까……. 외삼촌이 신뢰와 애정에 대해서 말씀하셨을 때 말이야."

알리사가 갑자기 엄숙한 표정을 짓더니,

"인생에 있어서의 도움을 말씀하시길래, 네게는 어머니가 계시다고 내가 말했어."

"오! 알리사. 어머니가 언제까지나 나와 함께 계실 수 없으리라는 것을 잘 알고 있으면서……. 그리고 그것은 다른 문제 아냐?"

그녀는 고개를 숙이고 말했습니다.

"아버지도 그렇게 말씀하셨어."

나는 몸을 떨면서 알리사의 손을 잡았습니다.

"내가 앞으로 어떤 사람이 되든 그것은 모두 너, 알리사를 위해서야."

"그렇지만 제롬, 나 또한 언제 떠날지 모르잖아?"

나는 진심으로 말했습니다.

"나는 절대로 네 곁을 떠나지 않을 테야."

그녀는 어깨를 약간 흠칫했습니다.

"너는 혼자서 걸어나갈 만큼 강하지 못하니? 우리는 저마다 혼자서 하느님께 나아가는 거야."

"그렇지만 내게 그 길을 가르쳐 줄 사람은 바로 너야."

"너는 왜 하느님 외에 다른 인도자를 찾으려고 하니? 우리가 서로 가장 가까워지는 때는 우리들이 저마다 서로를 잊고 하느님께 기도드리는 때라고 생각지 않니?"

"그래. 우리들을 결합시켜 주십사 하고 밤낮으로 기도하고 있어."

"넌 하느님 품 안에서 결합한다는 게 무슨 뜻인지 모르는 모양이지?"

"잘 알고 있어. 그것은 우리 두 사람이 서로 찬양하는 같은 것 속에서 서로를 열심히 찾는 거야. 네가 찬양하는 것을 나 역시 찬양하는 것은, 너를 다시 만나기 위한 것같이 생각 돼."

"너의 찬양은 순수하지가 못하구나."

"나를 너무 궁지에 몰아넣지 마. 천국이라도 거기서 내가 널 다시 찾지 못하게 된다면 난 그만둘 거야."

그녀는 손가락 하나를 입술에 갖다 대더니 약간 엄숙한 표정으로 말하였습니다.

"먼저 하느님의 나라와 그의 의를 구하라."

우리들의 대화를 여기에 옮기면서, 어떤 아이들이 얼마나 애써 심각한 이야기를 하고 싶어하는가를 모르는 사람들에게는, 이런 이야기가 조금도 어린애답지 않게 보이리라고 생각됩니다. 그러나 어쩔 것인가? 변명이라도 해야 할 것인가? 우리의 대화를 좀더 자연스럽게 보이도록 꾸미고 싶지 않은 것과 마찬가지로, 나는 그러한 변명도 하고 싶지 않습니다.

알리사와 나는 라틴 어판 복음서를 구해다가 그 중의 긴 구절들을 외곤 했습니다. 그녀는 동생 로베르를 도와준다는 구실로 나와 함께 라틴 어를 배웠습니다. 그러나 지금 와서 추측해 보면 오히려 내 독서 수준을 따라오기 위해서였던 것 같습니다. 그리고 사실 나 자신도 그녀가 따라오지 못하리라고 생각되는 공부에는 별로 마음이 내키지 않았습니다. 이것이 때때로 내게 방해가 되었다 할지라도, 사람들이 생각하듯이 내 정신적인 비약을 가로막지는 못했습니다.

오히려 알리사는 어떤 일에서나 자유롭게 나를 앞서고 있는 것 같았습니다. 나의 마음은 그녀를 따라 방향을 정했으며, 그 당시 우리의 마음을 사로잡고 있었던 것, 우리가 '사상'이라고 부르던 것도 대부분 우리 두 사람 영혼의 좀더 높은 일치를 위한 하나의 구실, 감정의 위장, 사랑을 덮는 겉치레에 불과했던 것입니다.

어머니는 처음에는 우리 두 사람의 이러한 감정에 대하여 그 깊이를 알 수 없었기 때문에 염려하셨을지도 모릅니다. 그러나 어머니의 건강이 악화되자 우리 둘을 사랑으로 포용해 주고 싶어하셨습니다.

어머니는 오래 전부터 앓아 오시던 심장병의 고통이 차츰 심해졌습니다. 유난히 발작이 심하던 어느 날, 어머니는 나를 곁으로 부르셔서 말씀하셨습니다.

"애야, 나도 이제는 많이 늙었다. 언제 갑자기 너를 두고 떠나게 될지 모르겠구나⋯⋯."

어머니는 숨이 가빠져서 말을 끊었습니다. 나는 더 이상 참을 수가 없어, 어머니께서 내가 먼저 말을 꺼내기를 기다리실 거라 생각하고 소리 높여 말했습니다.

"어머니, 알고 계실 테지만 저는 알리사와 결혼하고 싶어요."

그러자 이러한 내 말이 어머니의 가장 깊은 속마음에 있던 생각과 일치했음인지 어머니는 곧 이렇게 말씀하셨습니다.

"그래, 나도 그 일을 네게 말하고 싶었단다, 제롬."

"어머니!"

하고 나는 흐느끼면서 말했습니다.

"알리사는 날 사랑하고 있을까요?"

"그럼, 애야."

어머니는 몇 번이나 정답게 "그럼, 애야." 하고 되풀이하셨습니다.

어머니는 계속 말을 잇기가 힘에 부치신 모양이었습니다.

"모든 것을 하느님께 맡겨 두어야 하는 법이다."

하고 말씀하신 다음, 곁에서 고개를 숙이고 있던 내 머리 위에 손을 얹으셨습니다.

"하느님이 너희를 보호해 주시기를! 부디 하느님께서 너희 두 사람을 보호해 주시기를⋯⋯."

이렇게 말씀하시고는 깊이 잠에 빠져들었습니다. 나는 알리사에 관한 얘기를 더 하고 싶었지만 어머니를 깨우고 싶지는 않았습니다.

그리고 이 이야기는 두 번 다시 되풀이되지 않았습니다.

그 다음 날은 어머니의 상태도 좀 나아지셨기 때문에 나는 학교로 다시 되돌아갔고, 절반밖에 못한 고백 같은 이야기는 다시 침묵에 싸여 버렸습니다.

알리사가 나를 사랑한다는 사실은 한 순간도 의심할 수 없었습니다. 혹시 그 때까지는 좀 미덥지 않게 생각했을지라도 뒤이어 일어난 슬픈 사건을 당한 뒤에는 그러한 의심도 영원히 내 마음에서 사라져 버렸습니다.

어머니는 어느 날 저녁, 애슈부르통과 내가 지켜보는 가운데 아주 조용히 운명하셨습니다. 어머니의 생명을 앗아간 마지막 발작이 처음에는 그 이전의 발작에 비해 그다지 심한 것 같지 않았습니다. 그러다가 갑자기 상태가 악화되어 임종에 이르렀으므로 친척들도 달려올 틈이 없었습니다. 나는 어머니의 오랜 친구인 애슈부르통 곁에서 그리운 어머니의 주검을 지키면서 첫 밤을 새웠습니다.

나는 생전에 어머니를 깊이 사랑했습니다. 그러나 눈물이 흘러내리는데도 불구하고 마음속으로는 슬픔을 느끼지 못하는 나 자신에 대해 놀랐습니다. 내가 눈물을 흘린 것은 자기보다 훨씬 나이가 적은 친구가 먼저 하느님 곁으로 가는 것을 보고 있는 애슈부르통이 측은하게 여겨졌기 때문입니다. 어머니가 돌아가심으로써 알리사가 보다 빨리 내게 가까이 오리라는 숨은 기대감이 나도 모르게 나를 슬픔으로부터 멀어지게 했던 것입니다.

다음 날 외삼촌이 오셨습니다. 외삼촌은 알리사의 편지를 내게 전하셨는데, 그녀는 다음 날 플랑티에 이모와 함께 올 것이라고 했습니다.

편지의 내용은 다음과 같았습니다.

······. 제롬, 나의 벗, 나의 동생.

고모님이 돌아가시기 전에 기다리고 계시던 만족스러운 대답을 해 드리지 못한 것이 얼마나 가슴 아픈지 몰라. 이제는 고모님께서 날 용서해 주시길 바랄 뿐이야. 그리고 앞으로는 하느님께서 우리 두 사람을 인도해 주시길 빌어. 그럼 안녕히. 내 가엾은 벗!

그 어느 때보다도 더욱 다정한 너의 알리사가

이 편지는 무엇을 뜻하는 것일까? 말씀드리지 못해 가슴 아프다고 한 그 말은 우리의 장래를 약속하는 말이 아니면 도대체 무어란 말인가! 그러나 나는 아직 너무 어렸기 때문에 구혼을 할 수가 없었습니다. 게다가 알리사와 약속 따위를 할 필요가 어디 있단 말인가? 우리는 이미 약혼한 사이나 다름없었습니다. 우리들의 사랑은 이미 친척들에게 비밀스러운 것이 아니었습니다. 어머니와 마찬가지로 외삼촌도 우리의 사랑을 인정해 주셨고, 벌써부터 나를 아들처럼 대하셨습니다.

그로부터 며칠 후에 시작된 부활절 휴가를 나는 르아브르에서 지냈습니다. 플랑티에 이모 댁에서 머물렀지만 식사는 거의 뷔콜랭 외삼촌 댁에서 했습니다. 펠리시 플랑티에 이모는 더할 나위 없이 훌륭한 부인이었지만, 사촌 누이들이나 나는 플랑티에 이모와 그리 친하게 지내지 않았습니다.

이모는 늘 숨이 턱에 닿을 정도로 바빠 보였으며, 몸가짐에는 상냥함이 없었고 목소리는 크고 거칠었습니다. 또 아무 때나 우리들이 귀여워 죽겠다는 듯 귀찮을 정도로 애무를 했습니다.

외삼촌도 이모를 좋아했지만 이모와 이야기하는 목소리만으로도 얼마나 어머니를 더 좋아했던가를 충분히 짐작할 수 있었습니다.

"애야."

하고 어느 날 저녁 이모가 말을 꺼냈습니다.

"네가 올 여름 방학엔 무엇을 할 계획인지 모르겠지만, 내 할 일을 결정하기 전에 먼저 네 계획부터 들어 보고 싶구나. 내가 혹 네게 도움이 될 수 있다면 도와주고 싶다."

"아직까지 별로 생각해 보지 않았어요. 글쎄, 여행이나 해 볼까 생각 중이에요."

"외삼촌 집과 마찬가지로 우리 집에서도 네가 오는 것을 언제든지 환영한다. 하긴 거기에 가면 외삼촌이랑 쥘리에트가 몹시 반가워하겠지만……."

"알리사 말씀이죠?"

"오오, 그렇지! 미안하다. 난 여태 네가 좋아하는 사람이 쥘리에트라고 생각했단다! 네 외삼촌이 이야기해 주기 전까지는 말야……. 그게 아직 한 달도 채 못 됐다. 알다시피 난 너희들을 무척 사랑하지만 너희들의 일을 잘 알지는 못한다. 너희들을 만나 볼 기회가 별로 없었으니까! 게다가 난 뭐든 주의 깊게 살피는 성격이 못 돼서 나와 관계없는 일을 살펴보고자 가만히 기다리고 있을 겨를이 없단다. 나는 네가 노상 쥘리에트하고만 놀길래……. 그리고 내 생각에 그 애는 참 예쁘고 활발하니까 말야."

"네, 지금도 여전히 함께 잘 놀아요. 하지만 제가 사랑하는 사람은 알리사예요."

"좋아, 좋아! 그야 너 좋을 대로가 아니겠니? 너도 알다시피 난 그 애를 전혀 모른다 해도 과언이 아니니까. 그 앤 동생보다 말도 없는걸, 뭐. 어쨌든 네가 그 애를 택한 데는 그만한 이유가 있었겠지."

"하지만 이모, 내가 알리사를 사랑하는 것은 무엇을 택해서 사랑하는 것이 아니에요. 나는 단 한번도 무언가 이유가 있어서 알리사를 사랑한 적이 없어요."

"그렇게 화를 내지는 마라, 제롬. 악의가 있어서 한 말은 아니니까……. 네 말을 듣다 보니 무슨 말을 하려 했는지 깜박 잊었구나……. 아아, 그래! 결국 모든 일은 결혼을 해야 매듭이 지어지는데, 너는 아직 상중이니까 지금 곧 청혼을 할 수야 없지 않겠니? 예법상 말이다……. 게다가 또 아직 어리고……. 내 생각으로는 어머니와 함께 가는 것도 아니니, 너 혼자서 외삼촌 댁에 가는 것은 사람들에게 이상하게 보일지도 모르잖니?"

"글쎄, 제가 여행 이야길 꺼낸 것도 바로 그 때문이에요."

"그래, 그래서 말이다. 내가 있으면 만사가 순조로울 것 같아서 이번 여름 한동안만은 시간을 내 두었단다."

"제가 말만 하면 애슈부르통이 와 줄 거예요."

"그녀가 와 주리라는 건 나도 알고 있다. 하지만 그것만으론 충분치가 못해! 나도 함께 가는 걸로 하자. 뭐 내가 가엾은 네 어머니 역할을 대신하겠다는 건 아니다."

하고는 이모는 갑자기 흐느껴 울었습니다.

"단지 집안일이나 돌볼까 해서……. 그러면 너나 외삼촌이나 알리사 모두 어색하지 않을 거 아니니?"

플랑티에 이모는 자신이 우리와 함께 있는 일의 효과에 대해 잘못 알고 있었습니다. 사실 우리는 이모 때문에 난처한 입장이 되었습니다. 예정대로 이모는 7월부터 르아브르에 와 있었고, 애슈부르통과 나도 곧 뒤따라왔습니다.

알리사를 돕고 집안일을 거들어 준다는 구실로, 이모는 그처럼 조용하던 집 안을 늘 시끄럽게 했습니다. 우리의 마음을 편안하게 해 주려고, 이모 말을 빌리면 '만사를 수월하게' 해 주기 위해 얼마나 수선을 피웠는지 알리사와 나는 이모 앞에서 늘 어색한 채 반벙어리가 되는 것이었습니다.

이모는 우리를 쌀쌀맞다고 생각했을 것입니다……. 하지만 우리가 설사 잠자코 있지 않았다 하더라도 이모는 우리의 사랑이 어떤 성질의 것인지 이해할 수 있었을까?

반대로 쥘리에트는 이러한 호들갑스러운 이모의 성격과 꽤 잘 어울리는 편이었습니다. 그래서 이 막내 조카딸을 유난히 귀여워하는 이모에 대한 어떤 반감이 아마 이모에 대한 나의 애정을 가로막았을지도 모를 일입니다.

어느 날 아침, 우편물을 받고 나서 이모가 나를 불렀습니다.

"제롬, 정말 곤란하게 되었구나. 내 딸아이가 아프다고 나를 부르니 아무래도 너와는 이만 헤어져야겠구나."

나는 이모가 떠난 후에도 그대로 외삼촌 댁에 머물러야 할지 집으로 돌아가야 할지 몰라 외삼촌을 만나러 갔습니다. 그러나 내가 말을 꺼내자마자 외삼촌이 말씀하셨습니다.

"누님은 자연스러운 일을 왜 그처럼 복잡하게 생각할까? 그래, 넌 무엇 때문에 우리 곁을 떠나겠다는 거냐, 제롬? 너는 이제 내 자식이 아니냐?"

하고 외삼촌은 소리쳤습니다.

이모가 떠나자 집 안은 다시 조용해졌습니다. 행복을 예감하는 고요함이 깃들었습니다.

내 상복은 우리의 사랑을 어둡게 만들기보다는 오히려 더욱 깊게 했습니다. 단조로이 흐르는 듯한 생활이 시작되었습니다. 거기에서는 소리가 매우 잘 들리는 환경 속에 있는 것처럼 우리 마음 속 어떤 움직임도 서로에게 분명히 들려오는 것이었습니다.

이모가 떠나고 며칠이 지난 어느 날 저녁, 우리는 식탁에 모여 앉아 이모 이야기를 했습니다. 나는 지금도 그 때의 기억이 아주 생생히 떠오릅니다.

"어쩌면 그런 난리가 있담!"

하고 우리는 말했습니다.

"인생의 파도는 그다지도 이모의 영혼에 휴식을 줄 수 없는 것일까? 사랑의 아름다운 모습이여, 너의 그림자는 어떻게 된 것인가?"

라고 한 것은 괴테가 연인인 슈타인 부인을 두고 '이 영혼 속에 세계가 비치는 것은 보기에도 아름다우리라' 라고 쓴 말이 갑자기 생각났기 때문입니다.

그러고 나서 우리는 무슨 등급 같은 것을 설정하고 가장 으뜸가는 등급은 명상의 능력이라는 판단을 내렸습니다. 그러자 그 때까지 잠자코 계시던 외삼촌이 쓸쓸히 미소를 띠고 우리를 나무랐습니다.

"얘들아, 비록 부서진 것이라 하더라도 하느님은 거기서 당신의 모습을 알아보신다. 사람의 일생 중에 어느 한 시기만을 보고 그 사람을 판단하지 않도록 조심들 하거라. 너희들이 싫어하는 모든 점은 다 그럴 만한 여러 가지 사건 때문에 그렇게 된 것이고, 그런 사건을 너무나 잘 알고 있는 나로서는 너희들처럼 가혹하게 그분을 비난할 수가 없구나. 젊은 시절에는 남들을 기쁘게 만들었던 그 성품이 이제 늙고 보니 나쁘게만 여겨지니 말이다. 지금 너희들이 소란스럽다고 여기는 누님의 성격도 처음에는 생기발랄하여 귀엽고, 생각나는 대로 행동해 버린다든가, 소탈하다든가, 애교가 있다든가 하는 것으로 여겨졌단다. 확실히 우리 남매는 지금의 너희들과 별반 다를 게 없었지. 제롬, 그 무렵 나는 너와 매우 비슷했었다. 펠리시 누님은 또 지금의 쥘리에트와 아주 비슷했었다. 그래, 모습까지도 말이야."

그리고 문득 외삼촌은 알리사를 돌아보면서 말했습니다.

"너의 목소리를 듣고 있으면 마치 네 돌아가신 고모의 목소리를 듣는 것 같다. 미소지을 때도 너와 똑같았지. 그리고 그 버릇은 곧 없어졌지만, 네 고모도 너처럼 이따금 아무것도 안하고 의자에 앉아서, 팔꿈치를 괴고는 깍지 낀 두 손을 이마에다 갖다 댄 채 가만히 있곤 했었단다."

애슈부르통은 나를 돌아보며 속삭이듯이 말했습니다.

"너의 어머니 모습을 지닌 아이는 알리사야."

그 해 여름은 정말 아름다웠습니다. 만물에 푸른 하늘이 물들어 있는 것 같았습니다. 우리의 열정은 불행도 죽음도 제압하고 있었습니다. 어둠도 우리 앞에서는 뒷걸음질쳤습니다.

아침마다 나는 기쁨에 들떠 잠을 깼습니다. 동틀 무렵이면 일어나서 해를 맞으러 달려나가곤 했습니다. 지금도 그 때를 회상해 보면 이슬로 함빡 젖은 시간들이 눈에 선합니다.

밤늦도록 자지 않는 습관이 있었던 알리사에 비해 아침 일찍 일어나는 쥘리에트와 나는 함께 정원으로 내려갔습니다. 쥘리에트는 언니와 나 사이에서 심부름꾼 역할을 했습니다. 나는 끊임없이 그녀에게 우리의 사랑을 이야기했고, 그녀도 내 이야기에 싫증을 내는 기색이 없었습니다. 정작 알리사 앞에서는 너무나 격정적인 사랑으로 인해 망설여지고 어색해져서 감히 하지 못하던 이야기도 쥘리에트에게는 모두 털어놓았습니다.

알리사도 나의 이런 장난을 눈치챈 것 같았습니다. 우리가 자기에 대한 이야기를 하고 있다는 사실을 몰랐는지 혹은 알고도 모른 척한 것인지, 자기 동생 앞에서 내가 아주 쾌활하게 이야기하는 것을 보고는 재

미있어 하는 것 같았습니다.

아! 사랑의, 벅찬 사랑의 가장된 오묘함이여! 너는 어떤 비밀의 길을 거쳐 우리들에게 와서 웃음에서 눈물로, 가장 천진한 기쁨에서 덕행의 요구로 우리를 이끌어 가는가!

그 여름은 너무도 맑게, 너무도 미끄럽게 도망쳐 버렸기 때문에 그가 버린 날들에 대해 이제 아무런 기억도 남아 있지 않습니다. 그 무렵에 있었던 일이란 단지 대화와 독서가 있었을 뿐입니다.

"나, 슬픈 꿈을 꾸었어."

방학이 끝날 무렵의 어느 날 아침, 알리사가 내게 말했습니다.

"난 살아 있는데 넌 죽어 버린 거야. 아니, 네가 죽는 걸 본 건 아니고 단지 네가 죽어 버렸다는 거야. 정말 무서웠어. 그건 너무나도 터무니없는 일이어서 네가 잠시 어디 가고 없을 따름이라고 생각했어. 우리가 떨어져 있는데도 나는 어딘가에 너와 꼭 다시 만날 길이 있는 것처럼 느껴졌어. 어떻게 해 보려고 안간힘을 쓰다가 그만 잠에서 깨어났어. 아침에도 그 꿈이 눈에 선했어. 꼭 그 꿈을 계속 꾸고 있는 것 같았어. 여전히 너와 떨어져 있는 것 같았고, 앞으로도 오래 오래……."

하다가 알리사는 아주 낮은 소리로 덧붙였습니다.

"평생 동안 떨어져 있게 될 것 같았어. 그래서 평생 동안 계속해서 애를 써야 될 것 같았어……."

"어째서?"

"우리가 하나로 결합되기 위해서는 서로가 저마다 애를 써야 되는 게 아닐까 싶었어."

나는 그녀의 이야기를 심각하게 받아들이지 않았습니다. 아니 심각하게 받아들이기가 두려웠습니다.

나는 가슴을 두근거리며 알리사의 말에 반박이라도 하려는 듯이 갑자기 용기를 내어 말했습니다.

"하지만 알리사, 나도 오늘 아침 꿈을 꾸었는데, 너와 결혼하려는 꿈을 꾸었어. 어떤 일이 있어도, 아니 정말 그런 일이 있다면 죽음만이 우리를 떼어 놓을 수 있을 만큼 우리 둘이 굳게 맺어지는 결혼의 꿈 말이야."

"그렇다면 너는 죽음이라면 우리를 떼어 놓을 수 있으리라 생각해?"
하고 그녀가 반문했습니다.

"내가 말하려는 건……."

"나는 오히려 죽음이 접근시킬 수 있을 거라 생각해. 그래, 살아 있을 동안에는 떨어져 있던 것도 가까워지게 만들 수 있을 거야."

이 모든 이야기는 우리의 마음속에 깊이 사무쳐 지금도 나는 그 말의 억양까지도 귀에 들려오는 것만 같습니다. 그러나 나는 그 말이 지닌 중대한 뜻을 훨씬 뒤에야 비로소 깨닫게 되었습니다.

여름은 가고 가을이 다가왔습니다. 벌써 들판은 대부분 텅 비어 있었고 시야는 더욱 멀리 펼쳐졌습니다. 내가 떠나기 전날, 아니 그 전전날 저녁 쥘리에트와 함께 정원 숲으로 내려갔습니다.

"어제 저녁 알리사에게 들려준 게 뭐지?"
하고 쥘리에트가 물었습니다.

"언제 말이야?"

"그 폐광 벤치에서 말이야. 둘이만 남겨 놓고 내가 먼저 들어와 버렸을 때."

"아아……. 보들레르의 시 구절이었을 거야."

"어떤 시인데? 내게도 들려줄 수 있어?"

"이윽고 우리는 차가운 어둠 속으로 가라앉으리."

나는 별로 내키지 않는 기분으로 말했습니다. 그러자 쥘리에트는 대뜸 내 말을 가로막고 여느 때와는 다른 떨리는 목소리로 보들레르의 시 구절을 이어 읊었습니다.

"아듀, 너무나 짧았던 우리들 여름날의 화려한 빛이여!"

"아니, 너 그걸 알고 있었니?"

하고 나는 놀라서 소리쳤습니다.

"넌 시 같은 거 좋아하지 않는 줄 알았는데……."

"왜? 오빠가 내게 암송해 준 적이 없어서?"

그녀는 웃으면서, 조금 어색한 듯이 말했습니다.

"때때로 오빠는 날 바보 취급하는 것 같아."

"그건 아니야. 이따금 아주 총명하면서도 시를 좋아하지 않는 사람이 있거든. 난 한번도 네가 시에 대해 이야기하는 걸 들어 보지 못했고, 또 너도 나한테 시를 읊어 달라고 부탁한 적이 없잖니?"

"그야 모두 언니가 도맡고 있으니까……."

그녀는 잠시 말이 없더니, 불쑥 이렇게 물었습니다.

"오빠, 모레 떠나는 거야?"

"그래야겠지."

"이번 겨울에는 어떻게 지낼 거야?"

"노르말(고등사범학교) 1학년이 되겠지, 뭐."

"언니하고는 언제 결혼할 거야?"

"병역을 마치게 되면. 그리고 그 다음엔 내가 하고 싶은 일들에 대해 좀더 잘 알기 전에는 안 할 생각이야."

"자신이 뭘 하고 싶은지 아직도 모른단 말야?"

"난 아직은 알고 싶지 않아. 내 마음을 끄는 일이 너무도 많이 있거든. 무엇이든 하나를 택해서 그것에만 몰두해야 하는 그러한 시기를 될 수 있는 대로 미룰 생각이야."

"그럼 약혼을 미루는 것도 생활의 틀이 정해질까 봐 두려워서야?"

나는 말없이 어깨를 으쓱했고, 쥘리에트는 다그쳐 물었습니다.

"그럼 왜 약혼을 미루고 있어? 왜 당장 하지 않는 거야?"

"구태여 약혼할 필요가 어디 있니? 세상 사람들이야 알든 말든 우리가 서로의 것이고, 또 앞으로도 서로의 것이라는 것만 알고 있으면 될 게 아니겠니? 내 생명을 그녀에게 바치고 싶어하는데, 이런 내 애정을 무슨 약속 따위로 묶어 두는 편이 더 좋을 것 같니? 난 그렇게 생각지 않아. 맹세라든가 언약 같은 건 사랑에 대한 모독처럼 느껴져. 내가 약혼을 정말로 원하게 된다면, 그것은 알리사를 진심으로 믿지 못하게 될 경우일 거야."

"내가 믿지 못하는 건 알리사가 아니라……."

우리는 천천히 걸었습니다. 그리고 어렸을 때 뜻하지 않게 알리사와 외삼촌의 대화를 엿들었던 정원까지 왔습니다. 그러자 불현듯 조금 전에 정원 쪽으로 나가던 알리사가 어쩌면 지금쯤 그 둥그런 갈림길에 앉아 우리가 하는 이야기를 듣고 있을지도 모른다는 생각이 들었습니다.

직접 말하지 못하던 이야기를 그녀에게 직접 들려줄 수 있을지도 모른다는 생각이 내 마음을 유혹했습니다. 나는 내 꾀에 사로잡혀 과장된 감정을 섞어 목소리를 높였습니다.

"아아!"

하고 나는 내 나이 또래의 젊은이들이 흔히 하듯, 좀 과장되고 감격적인 목소리로 외쳤습니다. 그리고 나 자신의 이야기에 너무나 열중해 있었기 때문에, 쥘리에트가 하는 말 속에 알리사가 입에 올리지 않고 있는 말뜻을 알아차릴 수가 없었습니다.

"아! 사랑하는 사람의 영혼을 들여다보며, 마치 거울 속을 보듯이 그 사람의 마음에 내가 어떻게 비치는가를 볼 수만 있다면! 아니 그보다는 사랑하는 사람의 속마음을 읽을 수 있다면, 그 애정에 얼마나 안도감을 느낄 수 있을 것인가! 사랑은 또 얼마나 순수해질까……."

나는 쥘리에트가 곤혹스러워하는 표정을 짓는 것을 보고, 내가 늘어놓은 이 값싼 서정이 자아낸 효과라고 생각하며 만족해했습니다.

그런데 갑자기 쥘리에트가 내 어깨에 얼굴을 파묻더니 이렇게 말하는 것이었습니다.

"제롬! 꼭 알리사를 행복하게 해 준다고 약속해 줘. 만일 오빠 때문에 알리사 언니가 고통을 받는다면 난 오빠를 증오할 테야."

"이봐, 쥘리에트."

하고 나는 그녀의 이마를 들어올리면서 외쳤습니다.

"그렇게 되면 나는 나 자신을 증오하게 될 거야. 아아, 네가 내 마음을 알아주었으면 좋겠는데……. 내가 아직 앞날을 결정하지 않고 있는 것은 오직 알리사와 함께 좀더 훌륭한 생활을 하고 싶기 때문이야! 아무튼 나는 나의 일생 모든 것을 알리사에게 걸고 있어. 알리사 없이는 어떤 것도 하고 싶지 않아."

"오빠가 그런 이야길 할 때 언니는 뭐라고 하지?"

"나는 아직 그런 말을 알리사에게 한번도 한 적이 없어. 우리가 아직 약혼을 하지 않은 것은 그 때문이야. 결혼이라든가 또 그 다음에는 뭘 할 것인가에 대해서 우린 아직 한번도 이야기해 본 적이 없어. 아, 쥘리에트! 알리사와 함께 있는 삶이 얼마나 행복하게 생각되는지 감히 나로서는……. 이해하겠니? 알리사에겐 감히 이런 이야길 꺼내지도 못해."

"갑작스런 행복으로 언니를 놀라게 할 셈이야?"

"아니, 그게 아니야. 단지 두려워⋯⋯. 알리사를 겁나게 할까 봐. 이해하겠니? 막연히 예감되는 그 끝없는 행복이 알리사를 놀라게 할까 봐 두려워! 언젠가 알리사에게 여행하고 싶지 않느냐고 물어 본 적이 있어. 그런데 그녀는 조금도 바라지 않는다고 하면서 단지 그러한 나라들이 있고, 그러한 아름다운 곳에 남들이 가 볼 수 있다는 것을 알면 그것으로 만족한다는 거야."

"오빠는 여행하고 싶어?"

"어디든지 다 가 보고 싶어! 나에게는 삶 자체가 하나의 긴 여행으로 보여. 그녀와 둘이서 여러 가지 책과 온갖 사람들과 여러 나라를 돌아보는 긴 여행처럼 생각되어져. 보들레르의 시 중에 나오는 '닻을 올려라' 하는 말이 무엇을 뜻하는지 생각해 본 적 있니?"

"그럼. 때때로 생각해."

하고 쥘리에트가 중얼거렸습니다.

그러나 나는 쥘리에트의 말에 별로 귀를 기울이지 않고, 그녀의 말이 마치 상처받은 새처럼 땅에 떨어지게 내버려 둔 채 말을 계속했습니다.

"밤에 떠나 여명의 눈부신 햇살 속에서 잠을 깬다. 불안한 파도 위에 단둘만이 있음을 느낀다⋯⋯."

"그리고 아주 어렸을 때 지도에서 보았던 어느 항구에 도착한다. 거기서는 온갖 것이 낯설고⋯⋯. 오빠 팔에 기댄 언니와 함께 배에서 발판으로 내려오는 모습이 보이는 것 같아."

"우리는 급히 우체국으로 가려 하겠지."

하고 나는 웃으면서 덧붙였습니다.

"네가 우리에게 써 부친 편지를 찾아야 하니까."

"이 쥘리에트가 남아 있을 퐁그즈마르에서 말이지? 아마도 오빠와 언니에겐 퐁그즈마르가 쓸쓸하고 너무도 멀게 생각되겠지⋯⋯."

이것이 분명 그녀의 말이었는지 단언할 수 없습니다. 왜냐하면 내 마음은 사랑의 감정으로 가득 차 있어서 사랑의 표현말고는 아무 이야기도 내 귀에 들어오지 않았기 때문입니다.

우리는 갈림길 근처에 다다랐습니다. 막 발길을 돌리려는 순간, 나무 그늘에서 알리사가 나타났습니다. 그녀의 안색이 너무나도 창백하여 쥘리에트는 깜짝 놀라 소리쳤습니다.

"언니, 왜 그래? 어디가 아픈 거야?"

"몸이 좀 안 좋아서 그래."

하고 알리사는 급히 중얼거렸습니다. 그리고 곧 우리 곁을 떠나 도망치듯 집을 향해 가 버렸습니다.

"우리가 하는 이야기를 들었나 봐."

알리사가 멀어지자 쥘리에트가 말했습니다.

"하지만 알리사의 마음을 상하게 할 만한 이야기는 전혀 안 했잖아. 반대로……."

"언니한테 가 봐야겠어."

쥘리에트가 알리사의 뒤를 쫓아갔습니다.

그날 밤 나는 잠을 이룰 수가 없었습니다. 저녁 식사 시간에 나타난 알리사는 곧 머리가 아프다고 하면서 자기 방으로 올라가 버렸기 때문입니다. 도대체 알리사는 우리의 대화에서 무엇을 엿들었던 것일까? 나는 초조해져서 쥘리에트와 내가 했던 말들을 돌이켜보았습니다. 그리고 내가 쥘리에트의 목에 팔을 감고서 너무 바싹 붙어서 걸었던 일이 잘못이었는지도 모른다고 생각해 보았습니다. 그러나 그것은 우리가 어릴 때부터 늘상 하던 버릇이었습니다. 뿐만 아니라 알리사는 이미 몇 번이고 우리가 그렇게 걷는 것을 보았습니다.

아! 나는 얼마나 가엾은 장님이었던가! 내 스스로의 잘못을 더듬어 찾고 있으면서도, 나는 귀담아듣지도 않은, 그래서 기억도 잘 나지 않는 쥘리에트의 말을 어쩌면 알리사가 나보다 더 잘 알아들었으리라는 것은 단 한번도 생각지 못했으니 말입니다. 하지만 어쩔 수 없는 일입니다.

불안하여 마음의 갈피를 잡을 수 없던 나는 알리사가 나를 의심할지도 모른다는 생각에 덜컥 겁이 났습니다. 그래서 나는 또 다른 위험 따위는 도무지 생각해 보지도 못한 채 쥘리에트에게 내가 한 말에 상관없이, 어쩌면 그녀가 내게 한 말에 자극이 되어 그저 당시의 근심과 의구심을 뿌리치기 위해, 다음 날 약혼을 청혼해 버리기로 결심했습니다.

내가 떠나기 바로 전날이었습니다. 나는 알리사가 슬픈 표정을 짓고 있는 것은 내가 떠나기 때문이라고 생각했습니다. 어쩐지 그녀는 나를 피하는 것 같았습니다. 단둘이 있는 시간도 갖지 못한 채 하루가 지나가 버렸습니다. 나는 서로 이야기도 나누어 보지 못한 채 떠나게 되지 않을까 두려웠습니다.

저녁 식사 시간 가까이에 그녀의 방으로 올라갔습니다. 그녀는 거울 앞에서 산호 목걸이를 목에 걸려고 두 팔을 올린 채 등을 문 쪽으로 돌리고 있었습니다. 그녀가 두 개의 촛불 사이에 있는 거울 속을 들여다보고 있을 때 내가 방으로 들어갔기 때문에, 그녀가 나를 본 것은 거울 속에서였습니다. 그녀는 돌아보지도 않은 채 얼마 동안 그대로 나를 바라보았습니다.

"아니! 방문이 닫혀 있지 않았어?"
하고 그녀가 말했습니다.
"노크를 했지만 대답이 없었어. 그런데 알리사, 내가 내일 떠나는 건 알고 있겠지?"

그녀는 아무 대답도 없었습니다. 그리고 끝내 걸지 못한 목걸이를 벽난로 위에다 내려놓았습니다. 나는 '약혼'이란 말이 너무나 노골적이고 거칠게 여겨졌기 때문에 되도록 비유적인 표현을 하려고 했습니다. 그런데 알리사는 나의 말뜻을 알아듣고는 휘청거리면서 벽난로에 몸을 기댔습니다. 그러나 나는 몸이 너무나 떨렸기 때문에 그녀를 제대로 바라볼 수가 없었습니다.

나는 그녀에게 다가가 조심스럽게 그녀를 바라보면서 살며시 그녀의 손을 잡았습니다. 알리사는 손을 빼지는 않았지만 고개를 숙이고 내 손을 조금 쳐들어 입술에 갖다 대고 몸을 반쯤 내게 기댄 채 중얼거리듯 말했습니다.

"안 돼, 제롬! 안 돼! 우리 제발 약혼은 하지 않기로 해."

그 순간 내 심장은 몹시도 뛰고 있었기 때문에 알리사도 그것을 느꼈을 것입니다. 알리사는 한결 부드러운 목소리로 말했습니다.

"안 돼! 지금으로서는……."

"왜 안 된다는 거야?"

내가 물었습니다.

"묻고 싶은 건 오히려 내 쪽이야. 어째서 지금의 상태를 바꾸고 싶어하는 거야?"

나는 그녀에게 감히 전날 저녁의 이야기를 꺼낼 용기가 나지 않았습니다. 그러나 그녀는 이러한 내 생각을 알고 있기나 한 것처럼, 그래서 내 생각에 답하는 듯 나를 똑바로 쳐다보며 말했습니다.

"넌 나를 잘못 알고 있는 것 같아. 나는 그렇게까지 많은 행복을 바라지 않아. 우린 이대로 충분히 행복하잖아?"

그녀는 애써 미소를 지으려고 했으나 잘 되지 않았습니다.

"난 행복하지 않아. 널 두고 떠나야 하니까."

"이봐, 제롬. 오늘 저녁엔 너에게 이야기하지 못하겠어……. 우리의 마지막 시간을 망치지 말자……. 나는 언제나 널 사랑하고 있으니까, 안심해. 내가 편지로 이유를 설명할게. 꼭 쓸게, 내일이라도……. 네가 떠난 즉시 말야. 자, 이젠 가! 어머나, 내가 울고 있네……. 날 혼자 내버려 둬 줘."

알리사는 나를 밀어내면서 조용히 몸을 빼냈습니다. 그리고 그것이 우리의 작별이었습니다.

그날 저녁 나는 그녀에게 한 마디도 더 말할 수 없었고, 다음 날 내가 떠날 때까지 자기 방에서 나오지 않았습니다. 그러나 출발할 때 내가 탄 마차가 멀어져 가는 것을 창가에서 바라보며 작별의 손을 흔들고 있는 그녀를 볼 수 있었습니다.

친구 아벨

그 해 나는 아벨 보티에를 거의 만나지 못했습니다. 아벨은 자원 입대를 했고, 나는 수사학 강의를 한 번 더 들으면서 학사 시험을 준비하고 있었습니다. 나는 아벨보다 두 살 아래로, 그 해 우리가 입학할 예정이었던 에콜 노르말을 졸업할 때까지 병역을 연기해 두었습니다.

아벨과 나는 기쁘게 재회했습니다. 아벨은 제대 후 한 달 이상이나 여행을 했습니다. 나는 아벨이 변하지 않았나 걱정했지만, 그는 좀더 침착해졌을 뿐 조금도 매력을 잃지 않고 있었습니다.

새 학기가 시작되기 전날 오후를 아벨과 나는 뤽상부르 공원에서 함께 보냈습니다. 나는 혼자 간직하고 있던 내 사랑 이야기를 더 이상 숨길 수 없어 아벨에게 털어놓았습니다. 그런데 그는 이미 그 사실을 알고 있었습니다.

그 해 몇몇 여인들과의 경험을 통해 아벨은 약간 거만하게 선배 행세를 하려 들었지만 나는 조금도 불쾌하게 여기지 않았습니다. 이른바 마지막 말을 던지는 법을 모른다고 빈정대면서, 여자의 마음이 변하도록 내버려 둬서는 절대 안 된다는 것이 사랑을 지켜 나가는 원칙이라고 말했습니다.

나는 그가 지껄이도록 내버려 두긴 했지만, 그의 그럴 듯한 이론이 나와 알리사에게는 전혀 도움이 되지 않는다는 것, 그리고 아벨이 우리 두 사람을 잘 이해하지 못하고 있다는 사실을 깨달았습니다.

나는 다음 날 다음과 같은 알리사의 편지를 받았습니다.

그리운 제롬!

나는 네가 제의한 것을 곰곰이 생각해 보았어(네가 제의한 것이라고? 우리의 약혼을 그렇게 부르다니!). 너에게 나는 너무 나이가 많은 게 아닐까 두려워. 너는 아직 다른 여자들을 접할 기회가 없었으니까 그렇게 생각하지는 않을 거야. 그렇지만 내 생각으로는 내가 약혼을 허락하고 나서 나중에라도 네 마음에 들지 않는다면 나는 굉장히 괴로워할 거야. 편지를 읽으면서 넌 분명히 화를 내겠지. 지금도 내게는 네 항변이 들리는 것 같아. 하지만 네가 좀더 삶의 경험을 쌓을 때까지 기다려 달라고 부탁하는 거야.

내가 지금 이렇게 말하는 까닭은 모든 것이 오직 너를 위해서라는 것을 이해해 줘. 나로서는 결코 너를 사랑하는 일을 그만두지 못한다는 사실을 잘 알고 있지?

알리사

사랑하기를 그만둔다? 이제 와서 그런 말이 새삼스럽게 문제가 될 수 있을까! 나는 서글퍼지기보다는 오히려 놀라웠고, 너무도 당황해서 이 편지를 곧장 아벨에게 보여 주려고 달려갔습니다.

"그래, 넌 어쩔 셈이야?"

편지를 읽고 나서 아벨은 입술을 꼭 다문 채 머리를 갸우뚱하며 물었습니다. 나는 불안과 슬픔에 가득 차서 내가 무엇을 할 수 있겠냐는 표시로 두 팔을 쳐들어 보였습니다.

"내 생각으론 말야. 답장은 하지 않는 게 좋을 것 같다. 여자하고 다투면 지게 마련이거든. 이봐, 제롬. 우리가 토요일에 르아브르에서 묵으면 일요일 아침에는 퐁그즈마르에 도착할 수 있고, 월요일 첫 강의 시간까지는 돌아올 수 있어. 나도 입대 후에 네 친척들을 만나뵙지 못했으니까 이것으로 구실은 충분히 되고 또 인사치레도 되지. 만일 알리사가 이것을 한낱 구실에 지나지 않는다고 생각한다면 일은 더 수월하게 풀리는 거야! 네가 알리사와 이야기하는 동안 난 쥘리에트를 맡고 있겠어.

사실은 네 이야기 속에 뭔가 알 수 없는 게 있어. 아무래도 내게 전부를 털어놓은 것 같지가 않아. 그러나 상관 없어. 곧 알게 될 테니까……. 무엇보다도 우리가 간다는 사실을 알리지 마. 알리사를 깜짝 놀라게 해서 무장할 틈을 주지 말아야 하거든."

정원의 사립문을 밀었을 때 내 가슴은 몹시 뛰었습니다. 쥘리에트는 즉시 우리를 맞으러 달려나왔습니다. 하지만 속옷을 정리하고 있던 알리사는 얼른 내려오지 않았습니다. 우리가 외삼촌과 애슈부르통과 이야기하고 있을 때에야 비로소 알리사는 응접실로 들어섰습니다.

우리의 갑작스런 방문이 그녀를 당황하게 만들었을 것입니다. 그렇지만 그녀는 전혀 내색을 하지 않았습니다. 나는 아벨이 했던 말을 기억해 내고, 아마 그녀가 그토록 한참 동안 나타나지 않고 있었던 것은 바로 나에 대한 무장을 차리기 위해서였을 거라고 짐작했습니다. 활달한 쥘리에트의 태도는 알리사의 차분한 모습을 더욱 두드러지게 했습니다.

알리사는 내가 돌아온 것을 못마땅해 하는 것 같았습니다. 그녀는 적어도 그것을 자기의 태도로써 나타내려는 듯싶었고, 나는 그러한 감정 뒤에 숨겨져 있는 더욱 세찬 감정을 찾아볼 용기가 나지 않았습니다. 그녀는 우리와 멀리 떨어져 있는 구석 창가에 앉아, 수를 놓는 데만 열중해 있었습니다.

다행히도 아벨이 열심히 이야기하며 분위기를 이끌었습니다. 왜냐하면 나로선 도저히 이야기할 기력이 없었고, 따라서 그가 군대 생활과 여행 이야기를 하지 않았던들 이 재회의 순간은 매우 침울한 것이 되고 말았을 것입니다. 외삼촌 역시 대화 내내 매우 근심스러운 표정을 띠고 계셨습니다.

점심 식사가 끝난 후 쥘리에트가 나를 정원으로 불러 냈습니다.

"오빠, 글쎄 내게 청혼을 하는 사람이 있어!"

단둘이 있게 되자 쥘리에트가 큰 소리로 말했습니다.

"플랑티에 고모가 어제 아버지께 편지를 보냈는데, 님프에서 포도 재배를 하는 사람으로부터 내게 청혼이 들어왔다는 거야. 고모 말로는 아주 훌륭한 사람이래. 올 봄에 사교계에서 나를 몇 번 보고 내게 반했대."

"너도 그 사람을 본 적 있니?"

나는 자신도 모르게 그 청혼자에 대한 반감이 섞인 목소리로 물었습니다.

"응, 누군지 알아. 사람 좋은 돈 키호테 타입이야. 교양도 없고, 못생기고 시시한데다 꽤 웃기는 사람이라 고모도 그 사람 앞에선 웃음을 참지 못한대나?"

"그래, 그 사람 좀 유망해 보여?"

하고 나는 비웃는 어조로 물었습니다.

"어머나! 오빠, 농담도! 장사치야. 오빠가 그 사람을 한번만 보았더라도 그런 질문은 안했을걸?"

"그래, 외삼촌은 뭐라고 하셨니?"

"내가 직접 대답한 대로지. 시집가기엔 아직 너무 어리다고……. 그런데 곤란하게도 말이지."

하고 그녀는 웃으며 덧붙였습니다.

"고모는 거절할 걸 아시고 추신란에 뭐라고 썼는지 알아? 에두아르 테시에르 씨는——그 사람 이름이야——얼마 동안 기다리는 데 동의하며, 이렇게 벌써부터 신청해 두는 것은 단지 '차례에 끼려고' 하는 것이라고 덧붙였어. 참 웃기는 일이지. 그렇다고 내가 어떻게 할 수 있겠니? 그 사람이 너무 못생겼다고 전해 달랄 수는 없잖아."

"그럴 순 없지. 하지만 포도 재배자에게 시집가고 싶지 않다고 말할 순 있잖아?"

그녀는 어깨를 으쓱했습니다.

"그런 건 고모한테 통하지 않아. 그 이야긴 이제 그만해. 참 알리사가 편지했어?"

그녀는 아주 수다스럽게 말을 하면서 몹시 흥분되어 있었습니다. 내가 알리사의 편지를 보여 주자 그녀는 얼굴이 빨개지면서 읽었습니다.

"그래, 오빠는 어떻게 할 거야?"

하고 묻는 그녀의 목소리에는 어떤 노여움이 서려 있는 듯했습니다.

"글쎄, 나도 잘 모르겠어."

하고 나는 대답했습니다.

"막상 여기에 와 보니 차라리 편지를 쓰는 편이 좋았을 것 같아. 그래서 온 것을 후회하고 있어. 너는 알리사가 무슨 말을 하고 싶어 하는지 알겠니?"

"아마도 오빠를 자유롭게 해 주고 싶은 거겠지."

"하지만 내가 어디 그런 걸 바라니? 그럼 너는 알리사가 왜 이렇게 편지를 썼는지도 알겠구나."

"몰라!"

쥘리에트의 대답이 너무도 매몰찼기 때문에, 순간 나는 그녀가 진정한 이유는 알지 못할지라도, 이 일에 관해 전혀 모르는 것은 아니라는 생각이 들었습니다.

이윽고 우리가 걷고 있던 오솔길이 되돌아가게 되어 있는 곳에 이르자 쥘리에트는 갑자기 발길을 돌리면서 말했습니다.

"이젠 가야겠어. 오빠가 나하고 이야기하기 위해 온 건 아니니까 말야. 그리고 너무 오래 같이 있었어."

그녀가 집으로 달려간 잠시 후에 피아노 소리가 들려왔습니다.

내가 응접실로 들어갔을 때 쥘리에트는 되는 대로 즉흥적으로 피아노를 치면서 아벨과 이야기하고 있었습니다. 나는 두 사람을 남겨 놓은 채 밖으로 나왔습니다. 그리고 알리사를 찾아 꽤 오랫동안 정원을 헤매어 다녔습니다.

알리사는 과수원 안쪽 담 밑에서, 너도밤나무 숲의 낙엽 냄새와 함께 어우러져 향기를 뿜고 있는 국화를 꺾고 있었습니다. 대기에는 가을이 흠뻑 스며 있었습니다. 울타리에 떨어지는 햇살도 겨우 온기를 던져 줄 뿐이고, 하늘은 매우 맑고 투명했습니다.

알리사는 아벨이 여행 선물로 준, 젤란드(네덜란드의 북해에 연한 지방)

식의 큼직한 모자를 쓰고 있었는데, 얼굴이 모자에 거의 파묻혀 있다시피 했습니다. 내가 가까이 다가가도 처음에는 돌아다보지 않았지만, 억누를 수 없었던 가벼운 어깨의 떨림으로 보아 내 발소리를 알아챈 것을 나는 깨달았습니다. 그래서 나는 알리사에게 비난받을 것을 각오하고 용기를 냈습니다. 나는 가까이 다가가 조심스럽게 걸음을 늦추었습니다.

그녀는 처음엔 얼굴을 돌리지 않았지만 마치 토라진 어린애처럼 얼굴을 잔뜩 숙인 채, 꽃을 한 움큼 쥐어든 손을 나를 향해 등뒤로 내밀면서 오라는 시늉을 했습니다. 이러한 몸짓에 이번에는 내가 일부러 멈춰 서자, 알리사는 비로소 몸을 돌려 내게로 몇 걸음 걸어오더니 얼굴을 들었습니다. 그 얼굴에는 미소가 가득 차 있었습니다.

그녀의 부드러운 미소를 보자, 갑자기 내게는 온갖 것이 새롭고 단순하고 쉽게만 생각되어졌습니다. 그래서 보통 때의 편안한 목소리로 힘들지 않게 말문을 열 수가 있었습니다.

"네 편지를 보고 다시 왔어."

"그럴 줄 알았어."

하고 말하더니, 알리사는 이내 책망조로 말했습니다.

"바로 그것 때문에 내가 화난 거야. 왜 내가 말한 것을 너는 나쁘게만 받아들이니? 아무 일도 아니었는데……."

그녀의 이러한 얘기를 듣고 나니, 그 동안의 슬픔과 번민은 나 혼자 꾸며 낸 것이 되어서 단지 내 마음 속에만 존재하는 듯싶었습니다.

"내가 앞서도 말했지만 우리는 이대로 행복하지 않니? 그러니 네가 바꾸자는 것을 내가 거절한다고 해서 놀랄 것은 없잖아."

실제로 알리사의 곁에 있는 것만으로도 나는 행복했습니다. 너무나도 행복해서 이제부터 내 생각은 알리사의 생각과 조금도 달라지지 않을 것 같았습니다. 그래서 나는 그녀의 미소밖에는, 그리고 이렇게 그녀와 더불어 꽃이 만발한 오솔길을 그녀의 손을 잡고 거니는 것 이외는 아무 것도 바라는 것이 없게 되었습니다.

"그러는 편이 좋다면……."

하고 나는 그 순간의 완전한 행복에 몸을 맡기고 모든 다른 희망은 내 팽개친 채 엄숙하게 말했습니다.

"약혼은 하지 않기로 해. 나는 네 편지를 받는 순간 내가 정말 행복하다는 것과 이제부터는 그 행복이 사라져 버리려 한다는 것을 동시에 느꼈어. 아! 예전의 내 행복을 다시 돌려 줘. 그 행복 없이는 견딜 수 없어. 평생을 기다려도 좋을 만큼 나는 너를 사랑하고 있어. 그러나 네가 나를 사랑하지 않게 된다거나 내 사랑을 의심한다든가 하는 생각은, 알리사, 그런 것은 생각만 해도 참을 수가 없어."

"아아! 제롬, 난 의심 같은 건 할 수도 없어."

이 말을 하는 그녀의 목소리는 서글프고도 조용했습니다. 그러나 그녀의 얼굴을 환히 빛내는 미소가 너무도 맑고 아름다웠기 때문에 나는 의구심을 갖고 항변했던 것이 부끄러워질 따름이었습니다. 그녀의 목소리에서 느낀 그 서글픔의 여운도 그러고 보면 모두 나의 두려움과 항변에서 나온 것 같았습니다.

나는 두서 없이 나의 계획, 공부, 그리고 기대되는 내 새 생활에 관해서 횡설수설 이야기하기 시작했습니다. 당시 에콜 노르말은 몹시 규율이 엄격하기는 했지만 게으르거나 말 안 듣는 학생들에게나 힘들었을 뿐 부지런히 노력하는 학생에겐 안성맞춤이었습니다. 게다가 나는 에콜 노르말의 거의 수도원적인 관습이 나를 사회로부터 보호해 주는 것이 마음에 들었습니다. 게다가 사회란 별로 내 마음을 끌지 않았을 뿐 아니라 알리사가 두려워하게 되면 나도 대번에 싫어질 그러한 것에 불과

했습니다.

애슈부르통은 파리에서 처음 나의 어머니와 함께 살았던 아파트에서 그대로 살고 있었습니다. 나는 파리에서 아벨과 애슈부르통 외에는 아는 사람이 거의 없었으므로, 일요일이면 몇 시간씩 아벨과 함께 애슈부르통 곁에서 지내며, 일요일마다 알리사에게 편지를 써서 나의 생활을 낱낱이 알려 주리라 결심했습니다.

이 때 우리는 열려진 온실 유리 창틀에 걸터앉아 있었습니다. 마지막 열매마저 따 버린 오이의 굵은 가지가 되는 대로 뻗어나와 있었습니다.

알리사는 내 이야기에 열심히 귀를 기울이며 때때로 이것저것 물었습니다. 나는 그 때까지 그보다 더한 알리사의 정다움, 그보다 더 열렬한 알리사의 애정을 느껴 본 적이 없었습니다. 근심과 걱정, 그리고 아주 작은 마음의 동요까지도 그녀의 미소 속에 증발되어 버렸고, 그 애틋한 친밀감 속에 흡수되어 버렸습니다.

이윽고 쥘리에트와 아벨이 우리를 찾아와 너도밤나무 숲의 벤치에 나란히 앉아 스윈번의 〈시대의 개가〉를 한 사람씩 번갈아 가며 한 구절씩 읽는 것으로 그 날의 나머지 시간을 보냈습니다. 그리고 곧 저녁이 되었습니다.

이윽고 우리가 떠날 시각이 되자 알리사가 내게 입을 맞추면서 말했습니다. 반농담으로, 그러나 아마도 나의 무분별한 행동을 나무라는 듯한 누님 같은 태도로 말했습니다.

"자, 이제부터는 그렇게 소설 속에서나 나오는 사람처럼 행동하지 않겠다고 약속해 줘."

"그래, 약혼은 한 거야 ?"
나와 단둘이 있게 되자 아벨이 물었습니다.

"이제 그런 건 문제가 아냐."

이렇게 말하고 나는 그 이상의 질문은 거절한다는 단호한 어조로 덧붙였습니다.

"이대로 있는 편이 훨씬 좋아. 오늘 오후만큼 행복했던 때는 없었어."

"나도 그래!"

하고 아벨이 소리쳤습니다. 그러고는 갑자기 내 목을 끌어안으며 기쁨에 들뜬 목소리로 말했습니다.

"기막히게 멋진 이야기를 하나 해 줄까? 제롬, 난 쥘리에트가 미칠 듯이 좋아! 작년에 만났을 때도 그런 생각이 좀 들긴 했었어. 그러나 너의 사촌 누이들을 한 번 더 보기 전에는 네게 아무것도 말하고 싶지 않았지. 이제는 됐어. 내 인생도 이것으로 결정이 됐어.

사랑하노라. 사랑이라기보다는 나는 쥘리에트를 숭배하노라! 오래 전부터 난 네게 의형제 같은 애정을 느끼고 있었어……."

아벨은 라신의 비극 〈브리타니퀴스〉에 나오는 네론의 대사를 인용하면서, 웃고 장난치며 팔을 벌려 나를 끌어안는가 하면, 우리가 탄 파리행 열차 안 좌석 위를 어린애처럼 뒹구는 것이었습니다. 나는 그의 고백을 듣고 숨이 막힐 지경이었고, 거기에서 느껴지는 과장된 표현 때문에 마음이 편치 않았습니다. 하지만 그처럼 벅찬 감격과 희열에 대해 어떻게 맞설 수가 있을 것인가……?

"그래, 어떻게 됐어? 고백을 했어?"

나는 간신히 그에게 물었습니다.

"천만에!"

하고 아벨이 소리쳤습니다.

"역사의 가장 멋진 대목을 태워 버리고 싶진 않아. 사랑의 가장 아름다운 순간은 '그대를 사랑하노라' 라고 말할 때가 아니니……."

하면서 아벨은 프리돔의 서정시를 인용하면서 말했습니다.

"이봐, 느림보 대장, 나를 책망하지는 않겠지?"

"하지만 쥘리에트가, 쥘리에트 쪽에서 어떻게 생각하는지……."

하고 나는 다소 약이 올라서 말했습니다.

"넌 그녀가 나를 보면서 당황해하던 것을 못 봤니? 우리가 거기 있는 동안 줄곧 흥분하여 얼굴을 붉히며 쉬지 않고 지껄이고 했는데도 말이야……. 아니, 넌 아무것도 눈치채지 못했을 거야. 너야 알리사한테만 정신이 팔려 있었으니 말이야. 쥘리에트가 어찌나 이것저것 캐묻는지! 또 얼마나 내 말에 귀 기울이며 좋아했는지 몰라! 1년 동안에 몹시 똑똑해졌더군. 어떻게 해서 그녀가 독서를 좋아하지 않는다고 네가 생각하게 되었는지 난 도무지 알 수가 없어. 넌 독서란 단지 알리사만을 위한 것이라고 생각하는 모양이지? 하지만 쥘리에트는 놀랄

만큼 많이 알고 있어. 저녁 식사 전에 우리가 무엇을 하며 지냈는지 알아? 단테의 〈칸초네〉를 암송하며 놀았어. 둘이서 한 구절씩 읊어 나갔는데, 내가 틀릴 때는 쥘리에트가 척척 고쳐 줬어. 그런데 너는 왜 그녀가 이탈리아 어를 배운 걸 내게 말해 주지 않았니?"

"나도 그건 몰랐던 일이야."

나는 몹시 놀라서 말했습니다.

"무슨 소리야? 〈칸초네〉를 시작할 때 너한테서 배웠다고 하던데."

"아마 내가 알리사한테 읽어 주는 것을 들었던 모양이지. 그녀는 곧잘 우리 곁에서 바느질을 하거나 수를 놓고 있었으니까. 하지만 그런 걸 알고 있는 듯한 눈치는 전혀 보이지 않았었어."

"그랬을 거야. 알리사와 너의 이기주의에는 정말 기가 막히는구나. 자기네 사랑에만 열중하여 쥘리에트의 지능, 그녀의 영혼이 놀랍도록 꽃피는 건 거들떠보지도 않았으니 말이야. 결코 내 자신을 내세우려는 게 아니라, 아무튼 나는 때맞춰 나타난 거야. 아니, 널 탓하자는 건 아니야. 너도 알다시피……."

하고 말하며 그는 나를 다시 끌어안았습니다.

"단지 이것만은 약속해 줘. 이 일에 대해서 알리사에게 절대 알리지 않겠다고 말야. 내 일은 내가 알아서 처리할 테니까. 쥘리에트는 이제 내가 사로잡아 놓았어. 그건 틀림없는 사실이야. 다음 방학까지 그대로 내버려 두어도 끄떡없을 정도야. 그 때까지는 편지도 쓰지 않을 작정이야. 그렇지만 방학 때는 너와 르아브르에 가서 지내야지. 그리고……."

"그리고?"

"그리고 나서 알리사는 갑자기 우리의 약혼을 알게 되는 거야. 이 일을 나는 신속하게 해치울 작정이야. 그러면 어떻게 되는지 알아? 네가 획득하지 못하는 알리사의 승낙을, 내가 본을 보여 줌으로써 얻어 준다 이 말이지. 너희들 결혼 전에는 우리도 결혼할 수 없지 않느냐고 쥘리에트와 내가 알리사를 설득시킬 작정이야……."

그는 줄곧 이야기를 계속하여, 이윽고 기차가 파리에 도착하고 또 우리가 역에서 학교까지 걸어가는 동안에도 그칠 줄 모르고 끝없이 이어졌습니다.

또 학교 수업이 끝나고 밤이 깊어졌는데도, 아벨은 내 방에 따라 들어와서 아침이 될 때까지 나와 이야기를 계속했습니다.

아벨은 현재와 미래를 자기 멋대로 결정하였습니다. 그는 벌써 우리두 쌍의 결혼식을 이야기했습니다. 우리 네 사람의 놀라움과 기쁨을 상상하고 그것을 자세히도 묘사했습니다. 우리의 사랑 이야기, 우정, 그리고 내 사랑에 자기가 한 역할의 아름다움에 도취하기도 했습니다. 나는이처럼 솔깃한 아벨의 열정에 별반 저항도 못한 채, 마침내 나 자신마저도 그런 기분에 젖어들어 꿈 같은 그의 이야기의 매력에 점점 끌려들어갔습니다. 사랑의 덕택으로 우리의 야망과 용기도 잔뜩 부풀어올랐습니다.

학교를 졸업하고 곧 보티에 목사의 주례로 우리 두 쌍의 결혼식이 거행될 것이고, 우리 네 사람이 함께 여행을 떠난다. 그로부터 우리는 거창한 일에 착수하고 우리의 아내들은 즐거이 거기에 협력해 줄 것이다.

교직엔 별로 마음이 없고 글쓰는 소질을 타고났다고 자신하는 아벨은, 희곡을 쓰는 작가로 성공하여 삽시간에 부자가 되고, 학문에서 오는이익보다 학문 그 자체에 마음이 끌리는 나는 종교 철학의 연구에 몰두하여 그 역사를 써 보리라……. 그러나 그 많은 희망들을 지금 와서 돌이켜본들 무슨 소용이 있겠는가?

다음 날부터 우리는 열심히 공부에 전념했습니다.

어긋난 사랑

　새해 방학까지는 너무도 기간이 짧았기 때문에, 지난번 알리사와의 대화로 강해진 나의 믿음은 한 순간도 약해지지 않았습니다.

　계획했던 대로 나는 일요일마다 그녀에게 긴 편지를 썼습니다. 그 외의 날에도 친구들과는 떨어져서 아벨이나 만날 뿐, 단지 알리사를 그리워하며 생각하는 것으로 시간을 보냈습니다. 내가 좋아하는 책에는 나 자신이 거기서 찾는 재미보다도 알리사가 맛볼 수 있을 재미를 먼저 생각하여 알리사를 위한 표적으로 가득히 적어 놓곤 했습니다.

　하지만 그녀의 편지에는 여전히 나를 불안하게 하는 요소가 있었습니다. 비록 내 편지에 대해 매번 답장을 해 주기는 했지만, 나를 따라오는 그녀의 열성은 마음의 이끌림이라기보다는 오히려 내 공부에 대한 격려와 배려가 엿보이는 듯했습니다. 그리고 감상, 토론, 비평 등이 내게 있어서는 단지 내가 생각하는 바를 나타내려는 방법에 지나지 않았음에 비해, 그녀는 반대로 이 모든 것을 이용해서 자기의 생각을 내게 감추려는 데 이용하고 있는 듯이 생각되기도 했습니다.

　때때로 나는 그녀가 이렇게 자신의 생각을 감추는 것을 장난처럼 즐기는 게 아닌가 하는 의심이 들었습니다. 그러나 무슨 상관이 있으랴! 아무래도 좋다. 어떠한 불평도 하지 않기로 결심한 나는 편지 속에 그러한 불안이 새어 나가는 일이 없도록 조심했습니다.

　12월 말경 아벨과 나는 르아브르로 갔습니다.

　나는 플랑티에 이모 댁으로 갔습니다.

　이모는 내 건강, 숙소, 공부에 관해서 대충 듣고 나자, 곧 애정에 찬 호기심으로 조심성 없이 물었습니다.

　"그래, 퐁그즈마르에서는 어땠니? 너는 아직 내게 말해 주지 않았잖니? 일이 좀 진척됐니?"

나는 또 이모의 이 어설픈 친절을 감수해야만 했습니다. 그러나 아무리 상냥하고 다정한 말씨로 대해 줘도 역시 나를 마음 아프게 만드는 듯한 그러한 감정을, 이처럼 간단히 이야기하는 걸 듣는 게 괴로웠습니다. 그러나 이모의 태도가 너무나도 꾸밈없고 정다웠기 때문에 화를 낸다는 것은 잘못된 행동인 것 같았습니다. 그러나 그렇긴 해도 나는 처음 얼마간은 반항하듯이 쏘아붙였습니다.

"하지만 지난 봄에는 우리가 약혼하기에 너무 어리다고 말씀하시지 않았어요?"

"그랬었지. 나도 기억이 난다. 그러나 처음에는 으레 그렇게 말하는 법이야."

하고 이모는 감개무량한 듯 나의 한 손을 잡아 자기의 두 손 안에 꼭 쥐면서 서슴지 않고 말했습니다.

"네 공부라든가 병역 문제로 너희들은 몇 해 더 기다리기 전에는 결혼할 수 없다는 것을 잘 알고 있다. 하지만 내 생각에 약혼을 오래 끄는 것은 반대야. 그렇게 되면 처녀들이 지쳐 버리거든……. 때로는 그게 아주 딱하게도 여겨진단다……. 그건 그렇고 약혼은 반드시 공개해 둘 필요가 있어. 단지 공개해 두면 다시는 그런 문제로 신경 쓸 일이 없어지겠지. 또 그렇게 하면 주변 사람들이 알게 되어, 이제는 그 처녀에게 손을 뻗쳐 볼 필요가 없다는 걸 알게 되지. 또한 너희들도 편지나 교제를 떳떳하게 할 수 있고, 다른 사람이 청혼해 오면 약혼을 했다고 거절할 수도 있단 말이야."

하고 이모는 그럴 듯한 미소를 띠면서 계속 말했습니다.

"참 너도 알고 있겠지? 쥘리에트한테 청혼이 들어왔단다. 그 애는 올 겨울 유난히 남의 눈에 많이 띄었단다. 하지만 그 애는 아직 좀 어리지. 그리고 그 애도 그걸 이유로 거절했어. 그런데 그 청년은 기다리 겠다는 거야. 정확히 말해서 이미 청년이라고 할 수는 없지만 말이다. 아무튼 좋은 신랑감이야. 틀림없는 사람이지. 너도 내일이면 보게 될 거다. 우리 집 크리스마스 트리를 보러 온댔으니까. 네 소감이 어떤지 나중에 내게 말해 주려무나."

"이모, 모르긴 하지만 그 남자가 헛수고하는 게 아닐까요. 쥘리에트 에게 다른 사람이 있을지도 모르니 말이에요"

하고 나는 아벨의 이름을 대지 않으려고 애쓰면서 말했습니다.

"응?"

이모는 미심쩍다는 표정으로 입을 삐죽이 내밀고 머리를 갸우뚱해 보 였습니다.

"놀라운 이야기로구나. 그런데 왜 쥘리에트는 내게 아무 말도 하지 않았을까?"

나는 더 이상 말해 버리지 않도록 입술을 깨물었습니다.

"그래? 나중엔 알게 되겠지. 그런데 쥘리에트는 요즘 좀 아프단다."

하고 이모는 다시 얘기를 계속했습니다.

"참, 지금 문제는 그 애 이야기가 아니지! 그래, 알리사도 귀여운 아 이야. 그런데 그 애한테 선언을 했니?"

이모의 '선언'이란 말이 너무나도 어울리지 않게 느껴져 나는 발끈했 으나, 원체 거짓말을 못하는 성미라 정면으로 질문을 받자 우물쭈물 대 답해 버렸습니다.

"네."

그리고 곧 내 얼굴이 곧 화끈 달아오르는 것을 느꼈습니다.

"그래, 그 애는 뭐라고 하던?"

나는 고개를 숙였습니다. 대답하고 싶지가 않았습니다. 하지만 나는 자신도 모르게 알리사가 내게 한 말을 하고 말았습니다.

"그래! 일리가 있어. 그 깜찍한 애에겐."

하고 이모는 외쳤습니다.

"하긴 너희들이야 아무 때나 할 수 있으니까, 그렇고말고……."

"아아, 이모, 제발 그 이야긴 이제 그만해요."

하고 나는 말을 막으려 했으나 허사였습니다.

"그 애가 그렇게 했다고 해도 나로서는 어쩐지 놀랍지가 않구나. 그 애는 언제나 너보다는 분별이 있어 보였으니까."

나는 이 때 무엇 때문이었는지 잘 모르긴 했으나, 갑자기 가슴이 찢어지듯 아팠습니다. 그래서 마치 어린애처럼 마음씨 좋은 이모의 무릎에 이마를 비벼 대며 흐느끼면서 말했습니다.

"아니에요, 이모. 이모는 몰라요. 알리사는 기다려 달라고 말한 게 아니에요."

"뭐라고? 그 애가 너를 싫어하기라도 한단 말이냐?"

하고 이모는 손으로 내 이마를 떠받치며 부드럽고 동정에 찬 목소리로 물었습니다.

"그것도 아니에요……. 확실히 그런 것도 아니에요."

나는 슬프게 머리를 가로저었습니다.

"그 애가 너를 사랑하지 않을까 봐 두려운 거니?"

"아아! 아니에요, 제가 두려워하는 건 그게 아니에요."

"얘야, 좀더 분명하게 말을 해야 내가 알지."

나는 약한 내 마음을 그대로 드러낸 것이 부끄럽고 슬펐습니다. 내가 모호한 태도를 취한 까닭을 이모는 분명히 모르고 있었습니다. 그러나 만일 알리사의 거절에 숨겨진 이유가 있다면, 이모가 알리사에게 자연스럽게 물어 봄으로써 어쩌면 나 대신 그 이유를 밝혀 낼 수 있을 것 같았습니다.

"얘야!"

이모는 곧 자진해서 그 이야기를 꺼냈습니다.

"내일 아침 알리사가 크리스마스 트리를 장식하러 우리 집으로 오게 되어 있다. 대체 어떻게 된 영문인지 내가 이유를 물어 봐 줄게. 그것을 점심 때 네게 알려 주마. 그럼 네가 걱정할 건 아무것도 없다는 걸 알게 될 거야. 틀림없이 그럴 거야."

나는 외삼촌 댁으로 저녁 식사를 하러 갔습니다. 아닌게아니라 며칠 전부터 앓고 있던 쥘리에트는 사람이 달라져 보였습니다. 그녀의 눈초리는 표독스러웠고 또 쌀쌀맞았습니다. 그 때문에 전보다도 훨씬 더 알리사와 달라 보였습니다.

그날 저녁 나는 알리사와 쥘리에트 어느 누구하고도 이야기를 나눌수가 없었습니다. 나도 이야기할 마음이 내키지 않았고 외삼촌도 피로해 보여서 식사가 끝난 뒤 곧 외삼촌 댁을 나왔습니다.

플랑티에 이모가 꾸미는 크리스마스 트리는 해마다 많은 아이들과 친척들, 친구들을 모여들게 했습니다. 이 트리는 계단으로 이어지는 현관에 세워져 있었습니다. 그리고 이 현관은 첫 번째 문간방, 응접실, 장식장이 놓여 있는 온실 비슷한 방의 유리문 등으로 통해 있었습니다.

트리의 장식은 아직 완전하지 않았기 때문에 축제일 아침, 즉 내가 도착한 다음 날, 알리사는 이모 말대로 꽤 일찍 와서 여러 가지 장식이나 조명·과일·과자·장난감 등을 나뭇가지에 매다는 일을 도왔습니다. 나도 그녀 곁에서 일을 거들고 싶었으나 이모가 그녀와 이야기할수 있도록 그녀를 보지도 않고 집을 나와, 아침 내내 불안한 마음을 달래느라고 애썼습니다.

나는 쥘리에트를 다시 만나 볼까 하고 외삼촌 댁으로 발길을 돌렸습니다. 그런데 아벨이 나보다 먼저 그녀 곁에 와 있다는 말을 듣고, 그들의 중대한 이야기를 방해할까 싶어 곧 되돌아나와 점심 때까지 선창가와 거리를 돌아다녔습니다.

"이런 바보!"

내가 돌아오자 이모가 소리쳤습니다.

"그 따위 쓸데없는 걱정을 하며 지내다니. 오늘 아침 네가 한 이야기는 도무지 이치에 닿지 않은 이야기였어. 나는 알리사에게 단도직입적으로 이야길 꺼냈다. 우리 일을 거드느라고 피곤해진 애슈부르통을 산책이나 하라고 내보내고 알리사와 단둘이 있게 되자, 나는 곧 왜 지난 여름에 약혼하지 않았느냐고 아주 간단하게 물었지. 아마 너는 그 애가 당황했으리라 생각하겠지? 하지만 그 애는 조금도 당황하지 않고 제 동생보다 먼저 결혼하기가 싫었기 때문이라고 대답하더라. 만일 너도 그 애에게 솔직히 물어 보았더라면 그렇게 대답했을 거야. 혼자서 끙끙 앓고 있던 이유가 바로 거기에 있었던 거야. 솔직한 것만큼 좋은 건 없어요. 가엾은 알리사는 아버지를 떠날 수도 없다는 거야. 우리는 참 많은 이야기를 나누었는데, 그 애는 속이 참 깊더구나. 자기가 네게 적합한지 어떤지 아직 자신이 없다고도 하더구나. 또 자기가 나이가 너무 많지 않은가 두렵고 말야. 차라리 쥘리에트 또래의 여자가 바람직하다면서……."

이모는 말을 계속했습니다. 그러나 이모의 말은 더 이상 내게 들리지 않았습니다. 내게 중요한 것은 단 한 가지, 즉 알리사가 자기 동생보다 먼저 결혼하지 않겠다는 사실이었습니다. 하지만 아벨이 있지 않은가!

'그리고 보니 역시 아벨의 말이 옳았어. 그가 말한 대로 우리들 두 쌍의 결혼을 한꺼번에 이루어 놓으려는 거야.'

아주 단순하기는 했지만 이모가 밝혀 준 이야기는 나를 흥분시켰고, 나는 흥분을 이모에게 감추느라고 애를 썼습니다. 이모에게는 너무나 당연한 기쁨, 그리고 또 그것이 모두 자기의 덕택이라고 생각될 만큼 이모에게 흡족감을 줄 그러한 기쁨만을 내보였습니다.

점심 식사가 끝나자 나는 아벨에게로 달려갔습니다.

"어때! 내가 뭐라고 그랬어!"

내가 기쁨을 알려주자마자 아벨은 나를 끌어안으며 소리쳤습니다.

"제롬, 나도 오늘 아침 쥘리에트와 이야기를 했는데 거의 결정적이었다고 말할 수 있어. 우연히 우리는 거의 네 이야기만 했지. 그런데 그녀는 왠지 피곤하고 마음이 불안정해 보였어. 우리 두 사람의 얘기에 지나치게 깊이 들어가면 그녀의 신경을 자극할까 염려가 되었고 또 내가 그녀 곁에 너무 오래 머물러 있으면 그녀를 흥분시킬까 염려도 되어 그냥 물러나왔지. 그런데 네 말을 듣고 나니 일이 다 된 것 같구나. 내 달려가서 단장과 모자를 가져올게. 내 마음이 너무나 가볍게 들떠 있어서 혹시 도중에 내가 날아가려고 하면 붙잡아 줄 셈치고 뷔콜랭 가 문 앞까지만 함께 가 줘. 자기 언니가 약혼을 거절하는 이유가 단지 자기 때문이라는 것을 쥘리에트가 알게 되면, 그리고 곧 내가 청혼을 하면……. 아아! 나는 우리 아버지가 오늘 저녁 크리스마스 트리 앞에서 행복에 겨워 눈물을 흘리면서 주님을 찬양하고, 축복에 넘치는 손을 무릎 꿇은 네 사람의 약혼자 머리 위에 얹는 게 벌써 눈에 선해. 모두 우리를 축복해 주실 거야."

크리스마스 트리에 불이 켜지고 아이들, 친척들, 그리고 친구들이 그 주위에 모여들자면 해가 질 무렵이 되어야만 했습니다. 나는 아벨과 헤어지고 나서 불안과 초조로 일이 손에 잡히지 않았습니다. 나는 기다림을 잊으려고 생아드레스의 낭떠러지까지 걸어갔다가 길을 잃어버려 한 참을 헤매었습니다. 겨우 플랑티에 이모 집에 왔을 때에는 벌써 축제가 시작되어 있었습니다.

현관에 들어서면서 알리사와 만났습니다. 벌써부터 나를 기다리고 있었던 듯 나를 보고는 곧 다가왔습니다. 엷은 겉옷의 패어 있는 목 부분에는 오래 되고 자그마한 자수정 십자가 목걸이가 반짝이고 있었습니다. 어머니의 유품으로 내가 준 것인데, 그녀가 걸고 있는 것을 보기는 이번이 처음이었습니다. 긴장된 그녀의 괴로운 표정이 내 마음을 아프게 했습니다.

"왜 이렇게 늦었니?"
하고 그녀가 다급하게 숨가쁜 목소리로 물었습니다.

"낭떠러지 길에서 방향을 잃어버렸어. 그런데 왜 그렇게 안색이 안 좋아? 알리사, 어디 아픈 거야?"

그녀는 당황한 듯 입술을 떨면서 잠시 내 앞에 서 있었습니다. 그녀의 고뇌에 찬 표정을 보자 마음이 아파 더 이상 물을 수가 없었습니다.

알리사는 내 얼굴을 끌어당길 것처럼 내 목에 손을 갖다 댔습니다. 무엇인가 이야기를 하려는 눈치였습니다. 그러나 바로 그 순간에 손님들이 들어왔으므로, 맥이 풀린 그녀의 손이 아래로 떨어져 버렸습니다.

"이제는 시간이 없어."
하고 알리사는 중얼거렸습니다. 그리고 내 눈에 눈물이 글썽이는 것을 보고는 마치 그런 하잘것없는 변명이 나를 진정시킬 수 있기라도 한 것처럼 내 눈길의 질문에 대답했습니다.

"아냐, 안심해. 머리가 좀 아플 뿐이야. 어린애들이 너무 소란을 피워서 이리로 피해 온 거야. 이제는 애들 곁으로 가 봐야지……."

그녀는 급히 내게서 멀어져 갔습니다. 사람들이 들어오면서 나를 그

녀에게서 떼어 놓았습니다. 나는 응접실에 가서 다시 그녀를 만나리라 생각했습니다. 방 저쪽 끝에서 아이들에게 둘러싸인 채 놀이를 짜 주고 있는 알리사의 모습이 보였습니다. 그녀와 나 사이에는 사람들이 너무 많이 있어서 내가 그녀에게 가는 중간에 누군가에게 붙잡힐 것만 같았습니다.

하지만 나는 사람들과 인사나 이야기를 나눌 여유가 없었습니다. 혹시 벽을 따라 살짝 빠져 나간다면……. 나는 그렇게 해 보았습니다.

그런데 내가 정원으로 난 커다란 유리문 앞을 막 지나가려는 순간, 누군가 내 팔을 잡았습니다. 쥘리에트였습니다. 그녀는 문에 몸을 반쯤 숨기고 커튼으로 몸을 휘감고 서 있었습니다.

"우리 온실로 가!"
하고 그녀가 재빨리 말했습니다.

"꼭 할 말이 있으니까 먼저 그리로 가 있어. 곧 따라갈게."

그러고는 문을 조금 열더니 정원으로 사라져 버렸습니다.

무슨 일이 있었던 것일까? 나는 아벨을 만나고 싶었습니다. 아벨이 그녀에게 무슨 이야기를 했을까? 나는 쥘리에트가 기다리고 있는 온실로 갔습니다.

그녀는 얼굴이 새빨갛게 달아 있었습니다. 찌푸린 눈썹 때문에 그녀의 표정은 날카로워 보였고 얼굴은 고통에 찬 모습이었습니다. 신열이 있는 듯 두 눈은 반짝였고, 목소리는 거칠고 경련을 일으키고 있는 것 같았습니다. 무슨 일인가로 몹시 흥분되어 있었습니다. 나는 불안한 마음에도 불구하고 그녀의 아름다움에 새삼 놀랐습니다.

"알리사가 이야기했어?"
하고 그녀는 곧 내게 물었습니다.

"겨우 두어 마디. 내가 좀 늦게 왔거든."

"알리사는 내가 자기보다 먼저 결혼하길 바라고 있다는 거 알아?"

"그래, 알아."

쥘리에트는 나를 뚫어지게 쳐다보았습니다.

"그리고 내가 누구와 결혼하기를 원하고 있는지도 알아?"

나는 잠자코 있었습니다.

"그건 바로 오빠야!"

하고 쥘리에트가 소리쳤습니다.

"그건 미친 소리야."

"그렇지?"

그녀의 목소리에는 절망과 함께 승리감이 뒤섞여 있었습니다.

"이제는 내가 할 일이 무엇인지 알겠어."

하는 알지 못할 말을 남기고 그녀는 정원으로 통하는 문을 열더니 급하게 닫고 나가 버렸습니다.

내 머리와 가슴속에서는 모든 것이 비틀거렸습니다. 관자놀이에서 격렬하게 피가 솟구쳤습니다. 단 한 가지 생각만이 혼란 속에서도 나를 버티게 했습니다. 아벨을 찾자. 그는 어쩌면 이 두 자매의 이상한 이야기를 설명해 줄 수 있을지도 모른다……. 그러나 나의 혼란스런 모습이 다른 사람의 눈에 띌 것 같아서 응접실로 다시 들어갈 용기가 나지 않았습니다.

나는 밖으로 나왔습니다. 정원의 차가운 공기를 쐬자 마음이 좀 가라앉았습니다. 나는 잠시 그대로 정원에 머물러 있었습니다. 어둠이 내려앉자 바다 안개가 정원을 감싸고 있어 시야를 덮었습니다. 나뭇가지는 앙상하고 하늘과 땅은 한없이 쓸쓸해 보였습니다.

그 때 노랫소리가 들려왔습니다. 크리스마스 트리에 둘러선 아이들이

노래를 부르는 모양이었습니다. 나는 현관을 통해 응접실로 들어갔습니다. 응접실과 문간방의 문이 모두 열려 있었습니다. 텅 빈 응접실에서 피아노 뒤에 반쯤 몸을 가린 이모가 쥘리에트와 이야기하는 것이 보였습니다. 문간방에는 잔뜩 장식된 크리스마스 트리 주위에 손님들이 빽빽이 둘러서 있었습니다. 아이들은 벌써 찬송가를 마친 후였습니다.

갑자기 조용해지더니 크리스마스 트리 앞에서 보티에 목사가 설교 비슷한 이야기를 시작했습니다. '좋은 씨를 뿌리기 위해서는 어떠한 기회도 놓치지 말라.' 는 내용이었습니다. 나는 불빛과 열기가 못마땅해 다시 나가고 싶었습니다. 그 때 문에 힘없이 기대어 서 있는 아벨이 눈에 띄었습니다.

아마도 그는 조금 전부터 그 곳에 있었던 모양이었습니다. 그는 적의에 찬 눈초리로 나를 바라보다가 우리의 시선이 마주치자 어깨를 한번 으쓱해 보였습니다. 나는 그에게로 다가갔습니다.

"바보 같은 자식!"

하고 그는 낮은 목소리로 말했습니다.

"이봐, 우리 나가자. 훌륭한 말씀은 실컷 들었으니 이제 밖으로 나가자고!"

아벨은 밖으로 나오자 걱정스럽게 쳐다보고 있는 나에게 다시 한 번 '바보 같은 자식!' 하고 말하는 것이었습니다.

"쥘리에트가 사랑하는 사람은 바로 너야, 이 바보야! 그런 것을 나에게 미리 말해 줄 수 없었니?"

순간, 나는 아찔했습니다.

"말할 수 없었겠지. 너는 그것을 몰랐을 테니까!"

그는 내 팔을 잡더니 미친 듯이 흔들어 댔습니다. 꼭 다문 이빨 사이로 새어 나오는 그의 목소리는 부들부들 떨리고 숨이 찼습니다.

"아벨, 제발 부탁이야."

잠시 후 나는 떨리는 목소리로 입을 열었습니다.

"그렇게 흥분하지 말고 대체 어떻게 된 일인지 내게 말을 좀 해. 나는 아무것도 모르겠어."

가로등 불빛 아래서 아벨은 갑자기 나를 세우더니 내 얼굴을 뚫어지게 바라보았습니다. 그리고 나를 와락 끌어안더니 내 어깨에 얼굴을 파묻고는 흐느끼며 중얼거렸습니다.

"잘못했어! 나도 바보였어. 너와 마찬가지로 나도 아무것도 알아차리지 못했다고."

아벨은 울고 나더니 다소 마음이 진정되는 듯싶었습니다. 그는 다시 걷기 시작하더니 말을 계속했습니다.

"어떤 일이 일어났느냐고? 이제 와서 다시 그 이야기를 한들 무슨 소용이 있겠니? 네게 미리 말했지만 나는 아침에 쥘리에트와 이야기를 나누었어. 그녀는 오늘따라 유난히도 예쁘고 쾌활했지. 나는 그것이 다 나 때문인 줄 알았어. 그런데 그건 우리가 네 이야기를 했었기 때문이야!"

"그 때 너도 짐작을 못했어?"

"못했어, 확실히는. 하지만 지금 와서 생각해 보면 어떤 사소한 것이라도 분명히 알 수 있었는데 말야……."

"잘못 생각하고 있는 건 아닐까?"

"뭐, 잘못 생각해? 쥘리에트가 널 사랑하는 걸 모른다면 그건 장님이나 마찬가지야."

"그렇다면 알리사는……."

"알리사는 자신을 희생하고 있는 거야. 동생의 비밀을 알자 자기 자리를 양보하려고 하는 거지. 어때, 이젠 이해가 되니? 그럼에도 불구하고 나는 쥘리에트에게 다시 한 번 우리 이야기를 하고 싶었어. 하지만 내가 말을 꺼내자마자, 그녀는 소파에서 벌떡 일어서더니 몇 번이고 되풀이해서 '그런 줄 알고 있었어요.' 하는 거야. 그런데 그 어조는 전혀 그런 줄 몰랐던 사람의 어조였어……."

"아! 농담은 제발 그만둬!"

"어째서? 쥘리에트는 날 듯이 언니 방으로 뛰어올라갔어. 그러고는 느닷없이 격렬한 소리가 들려와 난 깜짝 놀랐지. 쥘리에트가 다시 나올 줄 알았는데 잠시 후에 나온 건 알리사였어. 그녀는 모자를 쓰고 있었는데 나를 보고 어색한 표정을 짓더니 내 앞을 지나가면서 재빨리 '안녕하세요?' 하더군……. 그것뿐이야."

"쥘리에트는 다시 보지 못했어?"

아벨은 약간 망설였습니다.

"봤어. 알리사가 나가 버린 후에 나는 방문을 열었지. 쥘리에트는 난로 앞 대리석 위에 팔꿈치를 괴고 두 손으로 턱을 받친 채 꼼짝 않고 서 있었어. 거울 속의 자기 모습을 뚫어지게 노려보면서. 내 기척을 듣더니 돌아보지도 않은 채 발을 구르면서 '제발 나가 줘요!' 하는데 그 어조가 어찌나 매몰차던지 나는 더 어쩌지도 못하고 나와 버렸어. 그게 전부야."

"그럼 이제부터는 어떻게 해야 하는 거야?"

"아! 털어놓고 나니 기분이 좀 낫군……. 그래 이제부터는, 글쎄! 넌 이제부터 쥘리에트의 사랑이 식도록 해야겠지. 내 짐작이 틀리지 않는다면, 그러기 전엔 알리사는 네게 돌아오지 않을 테니까."

우리는 오랫동안 말없이 걸었습니다.

"돌아가자."

하고 아벨이 말했습니다.

"이젠 손님들도 다 갔을 거야. 아버지가 날 기다리실지도 몰라."

우리는 집으로 돌아왔습니다. 응접실은 텅 비어 있었습니다.

그리고 문간방에는 장식물이 다 떨어지고 촛불도 거의 꺼져 가는 크리스마스 트리 곁에 이모와 그의 두 아이들, 외삼촌, 애슈부르통, 보티에 목사, 사촌 누이들, 그리고 그 곁에 우스꽝스럽게 생긴 한 사나이가 앉아 있었습니다.

나는 그 사나이가 이모와 오랫동안 이야기를 나누는 것을 보았으나, 그가 바로 쥘리에트가 말하던 청혼자임을 그제서야 알게 되었습니다. 우리들 중 누구보다도 몸집이 크고 건강하며 혈색이 좋은데다가 머리는 거의 대머리인 그는 계급, 사회, 태생에 있어 우리들 사이에서는 어떤 이방인처럼 느껴졌습니다. 그는 희끗희끗하고 거추장스러워 보이는 나폴레옹 3세와 같은 카이제르 수염 끝을 초조한 듯 잡아당겼다 비볐다 하는 것이었습니다. 문이 활짝 열려 있는 현관에는 이제 불도 꺼져 있었습니다.

아벨과 나는 둘 다 소리 없이 들어갔기 때문에 아무도 우리가 와 있는 줄은 몰랐습니다. 오싹하는 어떤 예감이 나를 엄습했습니다.

"기다려!"

아벨이 내 한 쪽 팔을 잡으며 말했습니다.

그 순간 우리는 그 낯선 사나이가 쥘리에트에게 다가가, 그녀가 시선을 돌리지도 않은 채 아무런 저항도 없이 내맡긴 손을 잡는 것을 보았습니다. 내 가슴은 캄캄한 어둠에 휩싸였습니다.

"아벨, 도대체 저게 무슨 일이야?"

하고 나는 아직도 깨닫지 못한 것처럼, 혹은 잘못 알았기를 바라는 것처럼 중얼거렸습니다.

"쥘리에트는 지금 경매를 하고 있는 거야."

아벨은 토해 내듯이 말했습니다.

"자기 언니에게 지기 싫다, 이 말이지. 천사들도 하늘에서 박수 갈채를 보내고 있을 거야."

외삼촌이 일어서서, 애슈부르통과 이모에게 둘러싸여 있는 쥘리에트의 뺨에 입을 맞추었습니다. 보티에 목사도 다가섰습니다. 나는 한 걸음 앞으로 다가섰습니다.

알리사가 나를 보고 뛰어오더니 떨면서 말했습니다.

"제롬, 이럴 수는 없어! 쥘리에트는 저 사람을 사랑하지 않아. 오늘 아침에도 나에게 그렇게 말했어. 제발 좀 말려, 제롬. 아아! 저 애가 어쩌려고……."

그녀는 애원을 하면서 내 어깨에 매달렸습니다. 그 순간, 그녀의 고통을 덜어 줄 수만 있다면 나는 목숨이라도 바치고 싶었습니다.

갑자기 크리스마스 트리 곁에서 고함 소리, 웅성거리는 소리가 들려왔습니다. 우리는 달려갔습니다. 쥘리에트는 의식을 잃은 채 이모의 팔에 안겨 있었습니다. 모두가 다급히 그녀에게 다가가 몸을 굽혔습니다. 사람들에게 가려 내게는 잘 보이지 않았지만, 헝클어진 머리카락이 무섭도록 창백한 쥘리에트의 얼굴을 뒤로 잡아당기고 있는 듯 보였습니다. 그녀의 몸이 그처럼 경련하고 있는 것으로 보아 예사로운 기절 같지 않았습니다.

"아니야! 아니야!"

하며 이모는 어쩔 줄 모르고 있는 외삼촌을 안심시키려고 큰 소리로 말했습니다.

"아니야! 아무것도 아니야. 흥분해서 신경이 좀 발작한 것뿐이야. 테시에르 씨, 당신은 힘이 세니까 좀 거들어 줘요. 내 방으로 옮겨야겠어요. 내 침대로……."

그러고 나서 이모는 자기 맏아들 쪽으로 몸을 굽혀 귀에 대고 뭔가를 속삭였습니다. 그는 의사라도 부르러 가는 듯 곧 나가 버렸습니다.

이모와 그 청혼자는 그들 팔에 반쯤 젖혀져 안겨 있는 쥘리에트의 어깨 밑으로 손을 넣어 떠받치고 있었습니다. 알리사는 동생의 두 발을 들어 다정스레 껴안았습니다. 또한 아벨은 자칫하면 뒤로 떨어질 듯한 그녀의 머리를 받쳐 주면서 몸을 굽혀 흩어진 머리카락을 쓸어모으며 그녀에게 입을 맞추었습니다.

나는 방문 앞에 멈춰 섰습니다. 쥘리에트는 침대 위에 뉘어졌습니다. 알리사가 테시에르 씨와 아벨에게 몇 마디 말을 했지만 내겐 들리지 않았습니다. 그녀는 문까지 그 두 사람을 따라나와서 플랑티에 이모와 단 둘이서 간호하고 싶으니 자기 동생이 안정하도록 돌아가 달라고 부탁했습니다.

아벨은 내 팔을 잡고 밖으로 이끌어 냈습니다. 아벨과 나는 어둠 속에서 아무런 목표도 생각도 없이 오랫동안 거닐었습니다.

슬픈 편지

나는 알리사에 대한 사랑 이외에는 살아가는 이유를 발견하지 못했으므로 그 사랑에 매달렸으며, 그녀와 관계 없는 것은 아무것도 기대하지 않았고, 또 기대하고 싶지도 않았습니다.

그 다음 날, 내가 알리사를 만나러 가려고 준비하는데, 이모가 나를 붙잡더니 금방 온 편지를 내 앞에 내밀었습니다.

쥘리에트의 심한 흥분은 의사 선생님이 처방해 준 물약으로 오늘 아침에야 겨우 가라앉았습니다. 당분간 제롬은 이 곳에 오지 않도록 하는 게 좋겠다고 생각해요. 쥘리에트에게는 제롬의 발소리나 목소리가 낯익을 텐데, 지금 그 애에게는 절대 안정이 필요하니까요……. 쥘리에트의 상태로 보아 저는 아무래도 당분간 집을 비울 수가 없을 것 같아요. 제롬이 떠나기 전에 만나러 갈 수 없다면 고모, 제가 편지하겠다고 꼭 전해 주세요…….

외삼촌 댁의 방문이 금지된 사람은 오로지 나뿐이었습니다. 이모나 그 외의 누구도 외삼촌 댁의 초인종을 누를 수 있었고, 이모는 오늘 아침에도 거기에 갈 계획이었습니다. 내 발소리? 목소리? 얼마나 어설픈 구실인가……. 아무튼 좋다.

"좋아요. 가지 않겠어요."

알리사를 곧 만날 수 없는 것은 무척 고통스러운 일이었습니다. 그러나 한편으로는 그녀를 만나는 것이 두려웠습니다. 동생의 병을 내 탓으로 돌리지나 않을까 하는 두려움 때문에 그녀가 화난 것을 보느니 차라리 만나지 않는 편이 나을 것 같았습니다.

하지만 아벨만이라도 만나고 싶었습니다. 아벨의 집에 들어서니 문전에서 하녀가 나에게 쪽지 하나를 전해 주었습니다.

네가 걱정하지 않도록 몇 자 적어 두고 간다. 이대로 르아브르에 머물며 쥘리에트 가까이 있는 것이 내게는 도저히 견딜 수 없는 일이야. 간밤에 너와 헤어진 후, 나는 곧 사우샘프턴행 배표를 샀어. 런던에 있는 친구에게 가서 남은 방학을 보낼 셈이야. 학교에서 다시 만나자.

바라고 있던 도움의 손길이 일시에 사라지고 말았습니다. 고통밖에 남지 않은 그 곳에 나는 더 이상 머무르고 싶지 않아 새학기가 되기도 전에 파리로 돌아왔습니다. 나는 오직 하느님에게로, '모든 참된 위로, 완전한 은혜를 주시는' 하느님께로 눈길을 돌렸습니다. 나의 모든 괴로움도 하느님께 맡겼습니다. 알리사 또한 하느님께 안식처를 구하고 있으리라 생각했고, 그녀도 기도를 드리고 있으리라 생각하니 나의 기도에는 힘이 가해졌고 열의가 깃들었습니다.

알리사의 편지와 내가 쓴 답장 외에는 이렇다 할 별다른 일 없이 명상과 공부로 긴 시간이 지나갔습니다. 나는 알리사의 편지를 모두 간직해 두었습니다. 이제부터 희미해지는 내 기억은 이 편지들을 의지하여 더듬어 갈 생각입니다.

나는 르아브르의 소식을 처음에는 이모를 통해서만 들을 수 있었습니다. 이모의 편지에 의하면, 그 일이 있은 후 쥘리에트의 병세가 생각보다 심해 얼마 동안은 모두들 무척 걱정했음을 알 수 있었습니다.

내가 떠나온 지 12일 만에야 나는 비로소 알리사로부터 다음과 같은 편지를 받았습니다.

그리운 제롬, 좀더 일찍 편지 못한 걸 용서해 줘. 가엾은 쥘리에트의 병세가 심해 편지를 쓸 겨를이 없었어. 네가 떠난 후 나는 거의 동생 곁을 떠나지 못했어. 고모에게 이 곳 소식을 전해 주라고 당부했는데, 그렇게 하셨으리라고 생각해. 그러니까 3일 전부터 쥘리에트의 상태가 점차 나아지고 있어. 나는 벌써부터 하느님께 감사를 드리고 있지만 그래도 아직은 마음이 놓이질 않아.

이제까지 로베르에 관해서는 별로 이야기하지 않았지만, 그는 나보다 며칠 늦게 파리에 와서 자기 누나들의 소식을 전해 주었습니다. 오로지 그의 누나들 때문에 내 마음 이상으로 나는 그를 보살펴 주었습니다. 그가 다니던 농업학교가 쉴 때마다 나는 그를 돌봐 주었으며, 즐겁게 해 주려고 애썼습니다.

내가 알리사나 이모에게 감히 물을 수 없던 일을 알게 된 것도 로베르를 통해서였습니다. 테시에르 씨가 쥘리에트의 병세를 알아보려고 꾸준히 찾아왔으나, 로베르가 르아브르를 떠날 때까지 쥘리에트는 그를 만나지 않았다는 것이었습니다. 그리고 내가 떠나온 이래로 쥘리에트는 줄곧 알리사에게 침묵을 지키고 있어 어떤 일이 있어도 입을 열지 않는다는 것이었습니다.

그 후 얼마 안 있어 나는 이모를 통해, 내가 생각하기로는 알리사가 곧 깨어지기를 바랐던 쥘리에트의 약혼을 쥘리에트 자신이 하루바삐 공식적인 것으로 해 주길 바라고 있다는 소식을 전해 들었습니다. 어떠한 충고도, 명령도, 애원도 소용이 없다는 것이었습니다.

세월이 흘렀습니다. 나도 그녀에게 뭐라고 써야 할지 몰랐지만, 알리사로부터는 너무나 실망스러운 편지밖에는 오지 않았습니다. 짙은 겨울 안개가 나를 둘러싸고 있었습니다. 학업도, 사랑과 신앙의 모든 열정도, 아아! 나의 마음의 어둠과 추위를 거두어 가지는 못했습니다.

그 후 갑자기 찾아든 어느 봄날 아침, 그 무렵 르아브르를 떠나 있던 이모에게 부쳐 온 알리사의 편지를 이모가 내게 보여 주었습니다. 그 편지 가운데 이 이야기를 해명해 줄지도 모르는 부분만을 여기에 적어 보겠습니다.

……. 저의 온순함을 칭찬해 주세요. 고모님이 시키신 대로 테시

에르 씨를 만나서 그분과 한참 동안 이야기를 했어요. 나무랄 데 없는 사람이라는 것도 알게 되었고, 또 솔직히 말씀드리면 이 결혼이 제가 처음에 두려워했던 것처럼 불행하게 되진 않으리라는 생각도 드는군요. 확실히 쥘리에트는 그분을 사랑하지 않아요. 그렇지만 만나 볼수록 그분이 점점 사랑받을 가치가 있는 사람이라고 생각되어지는군요. 그분은 이번 일의 사정도 정확히 알고 있고, 쥘리에트의 성격도 잘 파악하고 있었어요. 또한 그분은 쥘리에트에 대한 자기의 사랑에 확신을 갖고 있고, 자신의 변함없는 사랑으로 이겨 내지 못할 것은 아무것도 없다고 생각하고 계세요. 말하자면 쥘리에트에게 아주 반해 버린 거죠.

제롬이 로베르를 그처럼 잘 돌봐 주는 데 대해 저는 무한한 고마움을 느끼고 있어요. 제롬은 일종의 책임감에서 그렇게 해 주고 있는 것 같아요. 왜냐하면 제롬과 로베르의 성격은 아주 다르니까요. 아마도 저를 기쁘게 해 주고 싶어서 그러는 거겠지요. 하지만 제롬도 이젠 수행할 의무가 벅찰수록, 그 의무는 영혼을 가꾸고 향상시켜 준다는 것을 알게 되었을 거예요. 이 몹시도 고상한 생각! 저의 이런 생각에 너무 웃지는 마세요. 왜냐하면 이런 생각은 쥘리에트의 결혼이 행복하기를 바라는 저를 뒷받침해 주고 도와주는 것이기 때문이에요.

고모가 그처럼 살뜰하게 염려해 주시니 제게는 얼마나 힘이 되는지 몰라요. 하지만 제가 불행하다고는 생각지 말아 주세요. 오히려 그 반대라고 말씀드릴 수 있어요. 쥘리에트를 휩쓸고 간 시련이 제 마음속에서 어떤 반동을 일으켰기 때문이에요. 이 일로 인해 잘 이해되지 않은 채 되풀이해 읽던 성경 말씀이 갑자기 환히 깨달아져 오더군요.

'사람을 믿는 자는 불행하니라.'

이 구절은 제가 성경에서 찾아 내기 훨씬 전에, 제롬이 아직 열두 살도 채 안 되고 제가 열네 살이 되던 해 제게 보내 준 자그마한 크리스마스 카드에서 읽은 적이 있어요. 그 카드에는 우리에게 몹시 아름답게 보였던 꽃다발의 그림 곁에 코르네유가 의역한 다음과 같은 시구가 적혀 있었어요.

오늘 세상으로부터
나를 주께로 끌어올리는 힘은
무슨 불가항력의 매력인가?
사람들 위에 자기의 기둥을
세우는 자는 불행할지어다!

솔직히 말씀드려서 저는 이 시구보다는 예레미야의 저 간결한 구절을 더 좋아한답니다. 물론 제롬은 그 당시 이 구절에 별다른 주의를 하지 않은 채 카드를 골랐을 거예요. 하지만 제롬의 사고는 제 성향과 상당히 비슷해요. 그래서 저는 날마다 저희 둘을 동시에 하느님께로 가깝게 이끌어 주신 것을 감사드리고 있어요.

고모님과 나누었던 이야기를 생각하고, 저는 제롬의 공부를 방해하게 될까 봐 전처럼 긴 편지를 쓰지는 않겠어요. 고모는 제가 고모님께 제롬에 대한 이야기를 함으로써, 제가 그 애에게 직접 편지 못 하는 걸 보상하려는 것이라고 생각하시겠죠? 계속 쓰게 될까 두려워 이만 펜을 놓겠어요. 이번만은 너무 꾸중하지 말아 주세요.

이 편지를 읽고 나는 얼마나 깊이 생각했는지 모릅니다. 나는 이모의 주책없는 참견(편지 속에서 알리사가 잠깐 비친 이야기, 내게 침묵을 지킨 그 이야기란 무엇이었을까?), 그리고 이 편지를 내게 전해 주도록 이모를 충동질한 그 서툰 친절을 저주했습니다. 이미 내가 알리사의 침묵을 견딜 수 없게 된 바에야, 아! 그녀가 이젠 내게 하지 않는 말을 다른 사람에게 써 보내고 있다는 사실을 차라리 모르게 내버려 두는 편이 훨씬 더 좋았을 텐데! 그리고 보니 모두가 짜증나는 일뿐이었습니다. 자기와 나 사이의 사소한 비밀을 그처럼 쉽사리 이야기하다니. 게다가 그 자연스런 어조, 태연한 모습, 진지한 태도, 쾌활한 문맥…….

"그게 아니라니까! 이 편지에는 알리사가 네게 보낸 편지가 아니라는
 사실 외엔 화낼 이유가 아무것도 없잖아?"
하고 아벨이 말했습니다.

아벨은 내게 있어서 날마다의 말 상대였습니다. 나는 성격상의 차이에도 불구하고, 아니 오히려 그 다르다는 것 때문에 아벨에게만은 여러 가지 이야기를 할 수 있었으며, 내가 외로울 때면 특히 약해지는 마음, 울고 싶도록 동정을 구하는 마음, 스스로에 대한 불신, 그리고 내가 곤란에 처했을 때 가지는 그의 충고에 대한 신뢰감에서 언제나 나는 그에게로 기울어져 가고 있었습니다.

"이 편지를 연구해 보자!"
하고 그는 편지를 자기 책상 위에 펼치면서 말했습니다.

이미 나는 사흘 밤을 분한 마음으로 보냈으며, 그 분노를 나흘이나 가슴 깊이 간직하고 있었습니다. 그래서 이제는 다음과 같은 아벨의 이야기에 자연히 끌려들어갔습니다.

"쥘리에트와 테시에르의 문제는 사랑의 불길 속에 내던져 버리자,
 응? 사랑의 불길이란 것이 어떤 것인지 너나 나나 잘 알지 않니? 테
 시에르는 그 불길 속에 뛰어들어 타 죽은 나비격이지…….”

"그런 이야긴 그만둬."

나는 그의 농담이 귀에 거슬렸습니다.

"다른 문제로 넘어가자."

"다른 문제?"

"다른 문제라고 해 봐야 모두 너에 관한 것인걸, 뭐. 알리사의 편지 속에 단 한 줄, 단 한 마디라도 너를 생각하지 않은 구절이 없어. 편지의 사연 하나하나가 너를 향한 것이라고 해도 지나치지 않지. 플랑티에 아주머니는 이 편지를 네게 전해 줌으로써 결국 원래의 주인에게 돌아오게 한 거야. 알리사가 네 앞으로는 쓸 수가 없어 최후의 수단으로 마음씨 좋은 아주머니에게 이 편지를 부쳤던 거야. 도대체 네 이모에게 코르네유의 시구가 무슨 상관이람. 말이 났으니 말이지, 그건 라신의 시지만. 알리사는 너와 이야기하고 있는 거야. 그것은 모두 널 향해 이야기하고 있는 거라고. 앞으로 2주일 내에 이만큼 길고 자연스럽고 마음에 드는 편지를 알리사가 네게 쓰도록 하지 못한다면 넌 바보야."

"그녀는 절대 그렇게 하지 않을 거야!"

"그녀가 편지를 쓰느냐 쓰지 않느냐는 너 하기 나름이야. 내 생각을 좀 들어 볼래? 이제부터 당분간은 너희들 사이의 사랑이나 결혼에 관해서는 한 마디도 비치지 마. 동생의 그 일이 있은 다음에 알리사가 그것을 한스럽게 생각하고 있는 것을 모르겠니? 그러니 이제부터 남매간의 정이라는 면에서 공작을 해 봐. 기왕 네가 참을성 있게 그 바보 녀석을 돌봐 줄 바에야 알리사에게는 꾸준히 로베르 이야기만 써 보내. 알리사의 머리만 즐겁게 해 주는 일만을 해 보란 말이야. 그 다음은 모든 일이 잘 풀릴 거야. 아아! 편지를 써야 될 사람이 나였다면……!"

나는 아벨의 충고를 따랐습니다. 그러자 과연 알리사의 편지는 다시 활기를 띠기 시작했습니다. 그러나 쥘리에트의 행복까지는 안 되더라도, 그녀의 처지가 결정되기 전에는 알리사로부터 진정한 기쁨이나 온갖 것을 거리낌없이 내게 맡겨 버릴 마음을 기대할 수는 없었습니다.

알리사가 알려 주는 쥘리에트의 소식은 차츰 좋아졌습니다. 쥘리에트의 결혼은 7월에 거행된다는 것이었습니다. 알리사는 그 무렵에는 아벨과 내가 학업에 얽매여 못 올 거라고 생각한다고 적어 보내 왔습니다. 나는 우리가 결혼식에 참석하지 않는 편이 더 좋을 것으로 그녀가 생각하고 있다는 걸 알 수 있었습니다. 그래서 시험을 핑계삼아 우리는 축하 편지를 보내는 것으로 인사를 대신했습니다. 결혼식이 있은 지 약 2주일 후에 나는 다음과 같은 알리사의 편지를 받았습니다.

그리운 제롬

어제 우연히 네가 준 아름다운 라신의 시집을 펼쳐 보다가, 10년 동안이나 내 성경책에 간직하고 있는 네 조그마한 크리스마스 카드 위에 적힌 몇 줄의 시구를 발견하고 얼마나 놀랐는지 몰라.

오늘 세상으로부터
나를 주께로 끌어올리는 힘은
무슨 불가항력의 매력인가?
사람들 위에 자기의 기둥을
세우는 자는 불행할지어다!

나는 이것을 코르네유에 의한 의역에서 발췌한 것이라고만 생각해 왔었어. 그리고 솔직히 거기에서 별다른 감흥을 느끼지는 못했지. 그런데 저 경건한 '제4영송가'를 읽어 나가다가 네게 전해 주지 않을 수 없을 만큼 아름다운 구절을 찾아 냈어. 그 책 여백에 네가 휘갈겨 놓은 첫 글자들로 미루어 보아 너는 이미 알고 있는 모양이지만(나는, 내 책이나 알리사의 책에 내가 좋아하는 대목, 그리고 알리사에게 읽어 주고 싶다고 생각하는 대목이 있으면 그 곳에 알리사의 이름을 적어 넣는 버릇이 있었습니다). 하지만 그런 건 어쨌든 좋아. 내가 즐거워서 이 시구를 옮겨 쓰는 거니까. 내가 찾아 냈다고 생각한 것이 실은 네가 가르쳐 준 것이라는 걸 알게 되자 다소 약이 오르긴 했지만, 너도 나처럼 이것을 좋아했구나 하는 즐거움에 그런 어리석은 생각은 지워져 버렸어. 그것을 다시 옮겨 쓰노라니 너와 함께 그것을 읽는 것 같은 기분이 드는구나.

불멸하는 지혜의 소리가
높다랗게 울리며 우리에게 가르치기를,
인간의 자식들이여, 너희들의 심려로 얻은
열매는 무엇인가?
헛된 영혼들이여, 너희가
그 혈관의 가장 맑은 피로써
그래도 번번이 구하는 것은
몸을 기르는 빵이 아니라,
오히려 더욱 허기지게 하는 그림자를
그토록 번번이 사들이는가?

내가 너희에게 주는 이 빵은
천사들의 양식이니

주께서 먼저 밀을 고르시어
손수 만드신 빵임을 알라.
이 감미로운 빵은 너희가 뒤쫓는
세상 무리들의 식탁 위에는
오르지 않는 빵임을 알라.
나를 따르는 자에게 이 빵을 주리라.
가까이 오라, 살기를 원하는 자
잡으라 먹으라, 그리고 복된 삶을 살지어다.
…….
주의 굴레 안에
복되이 갇혀 있는 영혼은
속박에서 평화를 구하며
영원히 마르지 않는
정결한 샘물로 목을 축이도다.
누구나 와서 마실 수 있는 물
그 물은 온갖 사람을 부르고 있도다.
그러나 우리가 미친 듯이 찾아다니는 물은
진흙투성이 샘물이거나
거짓된 웅덩이뿐으로
물은 언제나 거기서 달아나 마실 수조차 없다.

제롬! 얼마나 아름답니! 너도 정말 나만큼 이 시가 아름답다고 생각할까? 아무리 읊어도 싫증이 나지 않는구나. 단 한 가지 섭섭한 일은 내가 이 송가를 읽는 걸 네가 듣지 못한다는 것뿐이야.
　신혼 여행 중인 쥘리에트 부부에게서는 계속 반가운 소식만 오고 있어. 찌는 듯한 더위에도 쥘리에트가 얼마나 즐거워하는지 모른단다. 두 사람은 퐁타라비에를 거쳐 부르고스에 머물렀다가 피레네 산맥을 두 번이나 넘었대. 지금 몽세라에서 쥘리에트가 보낸 감격에 찬 편지가 왔어. 앞으로 열흘 정도를 바르셀로나에 머물렀다가 에두아르의 포도 수확을 위해 9월 이전에 님으로 돌아올 작정이래. 일주일 전부터 아버지와 나는 퐁그즈마르에 있어. 내일이면 애슈부르통이 오실 것이고 로베르도 나흘 후에는 오게 되어 있어. 가엾게도 그 애가 시험에 실패했다는 것은 너도 알고 있겠지? 어려웠다기보다도 시험관이 워낙 까다로운 문제를 내는 바람에 그만 당황했던 모양이야. 네가 편지한 것도 있고 해서 나는 그 애가 준비가 부족했다고는 생각지 않아. 단지 그 시험관이 학생들을 골탕먹이는 데재미를 느끼는 것 같아.

너의 합격에 대해서는 새삼스럽게 축하할 필요가 없을 정도로 내겐 당연한 일로 여겨져. 나는 그토록 너를 믿고 있단다. 제롬, 네생각만 하면 내 가슴은 희망으로 부풀어오른단다. 전에 이야기하던 그 연구를 이제부터라도 곧 시작할 수 있겠니?

……. 이 곳 정원은 조금도 변한 게 없어. 하지만 집 안은 텅 빈 것 같아. 왜 올해는 오지 말라고 너에게 부탁했는지 너는 이해할 수 있을 거야. 그렇게 하는 편이 좋을 것 같아서 그래. 날이면 날마다 마음속으로 이 말을 되풀이하고 있어. 이렇게 오랫동안 너를 못보고 지내는 것이 얼마나 괴로운지 가끔 나도 모르게 너를 찾을 때가 있어. 책을 읽다가 문득 고개를 돌리곤 해……. 그러면 네가 거기 서 있는 것 같아!

편지를 이어서 쓰고 있어. 어둠이 내리고 있어. 모두가 잠들었고,

열려진 창가에서 지금 늦도록 네게 편지를 쓰고 있어. 정원은 향기로 가득 찼고 바람도 따스해. 우리가 어렸을 적에 매우 아름다운 것을 보거나 들었을 때 곧 "감사합니다, 하느님. 이런 것을 만들어 주셔서!"라고 기도했던 일이 생각나니? 오늘 밤 나는 진정으로 "감사합니다, 하느님. 이처럼 아름다운 밤을 만들어 주셔서!"라고 기도했어. 그러자 나는 갑자기 네가 내 곁에 있었으면 했고, 네가 내 곁에 있다는 것을 느꼈어. 너무도 사무치게 느껴서 아마 네게도 전해졌으리라 여겨져.

그래, 너는 편지에서 흔히 '고귀하게 태어난 영혼에 있어서는' 찬미의 마음은 감사의 생각과 혼동된다고 썼지……. 아직도 얼마나 쓸 것이 많은지 몰라! 지금 나는 쥘리에트가 써 보낸 그 빛나는 나라를 생각하고 있어. 나는 좀더 넓고 좀더 빛나고 좀더 쓸쓸한 다른 나라들을 생각하고 있어. 어느 날 어떻게일지는 모르지만 알지 못할 신비로운 나라를 우리가 보게 되리라는 이상한 신념이 내 가슴속에 깃들어 있어…….

내가 얼마나 기쁨의 소용돌이 속에서, 얼마나 사랑에 흐느끼면서 이 편지를 읽었을지는 쉽사리 짐작이 갈 것입니다. 뒤이어 다른 편지들도 왔습니다. 물론 알리사는 퐁그즈마르에 내가 가지 않은 것을 고마워했고, 금년에도 자기를 만나러 오지 말아 달라고 간청했습니다. 그러면서도 그녀는 나를 보지 못해 섭섭해했고, 이제는 내가 곁에 있어 주기를 진심으로 바라는 것이었습니다. 나를 부르는 한결같은 외침이 알리사의 편지마다에서 느껴졌습니다.

그 뒤에 온 편지들 중에서 나는 나의 이러한 생각을 뒷받침할 만한 것을 모두 옮겨 쓰기로 하겠습니다.

그리운 제롬,

네 편지를 읽노라면 온몸이 기쁨으로 녹아 내리는 것 같아. 오르비에토에서 부친 네 편지에 답장하려던 참에 페루자와 아시시에서 쓴 편지를 동시에 받았어. 마음은 여행 중이고 몸만 이 곳에 있는 것 같아. 정말 나도 너와 함께 움브리아의 하얀 길을 걷고 싶어. 아침이면 함께 길을 떠나고 아주 새로운 눈으로 동트는 걸 바라보고……. 정말 코르톤의 언덕 위에서 나를 불렀니? 그래, 나도 들었어……. 아시시 위의 산에서는 몹시 목이 말랐어! 하지만 프란체스코회 수도사가 준 한 컵의 물이 얼마나 달았는지! 오, 제롬! 나는 너를 통해서 모든 것을 보고 있어. 성 프란체스코에 대해서 네가 써 보낸 이야기는 얼마나 좋았는지 몰라! 그래, 우리가 깊이 구해야 할 것은 마음의 해방이 아니라 마음의 감격이야. 마음의 해방이란 언제나 가증스런 오만이 뒤따르게 마련이니까. 인간의 야망이란 반항하기 위해서가 아니라 봉사하기 위해 사용되어야 할 거야…….

님으로부터 오는 소식들은 너무나 좋아서 이제는 나도 즐거움에 몸을 맡겨도 좋다고 하느님이 허락해 주신 것 같아. 올 여름의 단 한 가지 근심거리는 아버지의 일이야. 내가 여러 가지로 마음을 쓰지만 아버지께선 늘 쓸쓸하신 표정이야. 내가 아버지 곁을 떠나 혼자 계시게 되면 당장에 쓸쓸해하시고 마음을 돌려 드리기가 점점 힘들어져. 우리를 둘러싸고 있는 자연의 모든 즐거운 속삭임도 아버지에게는 아무런 기쁨이 되지 못하고 있어. 이제는 거기에 귀를 기울이려 하시지도 않아. 애슈부르통 역시 안녕하셔. 네 편지를 늘 그 두 분께 읽어 드리고 있단다. 너의 편지가 오면 3일간은 그 이야기로 보내. 그러다 보면 또 다음 편지가 오고…….

……. 로베르는 그저께 이 곳을 떠났어. 나머지 방학을 R이라는 친구 집에서 보낼 생각인데, 그 친구 아버지가 모범 농장을 경영한대. 이 곳 생활이 그 아이에게는 지루했었나 봐. 로베르가 떠나겠다고 말했을 때 나로서는 그 애의 계획에 찬성하는 수밖에 없었어.

……. 하고 싶은 말이 너무도 많아. 끝없이 이야기하고 싶어! 때로는 말이나 분명한 생각이 떠오르지 않을 때도 있는데, 오늘 저녁은 꿈꾸듯이 쓰고 있어. 어떤 무한한 부를 주고받고 있는 듯한 숨막히는 느낌만을 품은 채 말이야.

9월 12일

피사에서 보낸 네 편지 잘 받았어. 여기도 아주 멋진 날씨야. 노르망디가 내게 이처럼 아름답게 보인 적은 처음이야. 그저께, 혼자서 목표도 없이 아무 데나 발길 닿는 대로 벌판을 꽤 오랫동안 거닐었어. 태양과 기쁨에 흠뻑 취했음인지 돌아왔을 때에도 피곤하기보다는 흥분된 상태였어. 타는 듯한 태양 아래 짚더미들이 얼마나 아름다웠는지! 구태여 내가 이탈리아에 있다고 생각지 않아도 온갖 것이 아름답게 보였어.

그래, 네가 말하듯이 대자연의 '은은한 찬가' 속에서 내가 듣고 이해한 것은 환희에로의 권유였어. 그 권유를 나는 새들의 노랫소리에서 들었고, 송이송이 꽃향기 속에서도 맡았어. 지금 나는 유일한 기도의 형식으로 예찬이란 것밖에는 이해할 수 없게 되었고, 성 프란체스코와 함께 주여! 주여! 하며 그것만을 형언할 수 없이 사랑에 가득 찬 마음으로 되풀이하고 있어.

그렇다고 해서 내가 무식쟁이가 되어 간다고 걱정하진 마. 요즈음 많은 책을 읽었어. 며칠간 비가 온 덕택으로 나는 마치 예찬을

책 속에 접어 넣은 것 같아……. 말브랑슈를 읽고 나서 곧 라이프 니츠의 〈클라르크에의 편지〉를 들었어. 그리고 좀 쉴 생각으로 셸리의 〈첸치〉를 별다른 느낌 없이 그냥 읽었어. 혹 네가 화를 낼지도 모르지만 지난 여름 함께 읽었던 키츠의 오드 네 편과 바꾼다면 셸리와 바이런 전부를 주어도 아깝지 않을 것 같아. 마찬가지로 보들레르의 소네트 몇 편과 위고 전부를 바꿀 수도 있을 것 같아. 위대한 시인이란 말은 아무런 의미도 없어. 중요한 것은 순수한 시인이라고 생각해. 아, 모든 걸 내가 알고 이해하고 사랑하도록 해 준 데 대해 감사해.

제롬, 며칠 동안의 만나는 즐거움을 얻고자 네 여행을 단축시키지는 마. 아직은 만나지 않는 편이 좋을 것 같아. 나를 믿어 줘. 네가 내 곁에 있다 하더라도 이 이상으로 너를 생각할 순 없을 거야. 너를 괴롭히려고 하는 건 아니지만 난 네가 내 곁에 있기를 바라지 않게 되었어. 솔직히 말해서 네가 오늘 저녁에 온다는 걸 알면 나는 달아나 버릴 거야.

아아, 제롬. 제발 이 감정의 설명을 요구하지 말기를 바래. 다만 내가 알고 있는 것은, 나는 너를 끝없이 생각하고 있다는 거야. 그리고 나는 이대로 행복해.

이 마지막 편지를 받은 지 얼마 안 돼서, 이탈리아에서 돌아오자마자 나는 징집되어 낭시로 이송되었습니다.

그 곳에는 아는 사람이 하나도 없었으나 나는 혼자 있게 되는 것이 기뻤습니다. 왜냐하면 이처럼 혼자 있게 됨으로써 알리사의 편지만을 유일한 위안으로 받아들일 수 있게 되었기 때문입니다.

나는 우리에게 부과된 엄격한 군대 규율도 쉽게 견뎌 냈습니다. 나는 모든 일에 마음을 단단히 가졌고 알리사에게 쓰는 편지에도 함께 있지 못함을 섭섭하게 여긴다는 말밖에 쓰지 않았습니다. 그리하여 나는 헤어져 있어야만 하는 오랜 동안에도 우리의 용기를 북돋워 주는 데 어울리는 시편을 찾아 내거나 하고 있었습니다. '결코 불행하지 않은 너,' 혹은 '낙담하는 것을 상상할 수 없는 너'라고 알리사는 써 보냈습니다. 알리사의 말과 기대에 대한 증거를 보이기 위해서라면 무슨 일인들 내가 견디어 내지 못했으랴?

우리가 헤어진 지 거의 1년이 지났습니다. 그녀는 그런 것을 생각해 보지도 않은 듯, 아니 이제부터 기다림을 시작하고 있는 것만 같았습니다. 나는 그런 알리사를 비난했습니다. '이탈리아에서도 나는 너와 함께 있는 것이 아니었니?'라는 말을 시작으로 편지를 보내 왔습니다.

나는 하루도 네 곁을 떠나지 않았는데 넌 그것을 모르다니! 지금 잠시 너를 따라가지 못하는 것을 이해해 줘. 그리고 이것이, 단지 이것만이 내가 '떨어져 있다'고 부르는 거야. 정말이지 나는 군인이 된 너를 상상해 보려고 꽤나 애썼단다. 하지만 도무지 그렇게 안 돼. 그저 저녁이면 강베타 거리의 조그마한 방에서 글을 쓰거나 책을 읽는 너의 모습을 상상해 볼 따름이야……. 그런데 그것마저도 까마득해. 1년 후나 되어야 퐁그즈마르나 르아브르에서 너를 다시 만나게 될 것 같구나.

1년! 이미 가 버린 날들을 셈하는 건 아냐. 나의 희망은 서서히 다가올 미래의 한 시점에 못박혀 있어. 정원 안쪽 깊숙한 곳에 있던 그 울타리, 그 밑에 국화가 바람을 피해 피어 있고, 그 위로 위험을 무릅쓰고 우리가 돌아다니던 그 낮은 흙담이 생각나니? 쥘리에트와 너는 겁도 없이 걸어다녔지? 그런데 난 몇 걸음 내딛기만 하면 현기증이 났고 그 때마다 네가 밑에서 소리쳤지.

'그러니까 발 밑을 보지 말래도! 앞을 봐! 그리고 그대로 걸어, 목표를 정하고!'

그리고 넌 담 저쪽 끝에 올라가서 나를 기다려 주었지. 그러면 난 떨리지 않았어. 현기증도 사라져 버리고! 단지 너만을 바라보고 너의 벌린 팔 속으로 달려들곤 했지…….

제롬, 너를 믿는 마음이 없었다면 나는 어떻게 되었을까? 나는 네가 강하다는 것을 믿고 또 늘 느끼고 있어. 나는 너를 의지할 수밖에 없어. 그러니 약해지지 마.

우리의 만남을 짐짓 연장하면서 또한 불완전한 재회에 대한 두려움도 있고 해서, 새해까지 며칠간의 휴가를 나는 파리의 애슈부르통 곁에서 보내기로 했습니다.

앞서 말한 바도 있지만, 나는 편지들 전부를 옮겨 쓰고 있는 건 아닙니다. 2월 중순쯤 나는 다음과 같은 편지를 받았습니다.

그저께 파리 시내를 걷다가 서점 진열대에서, 전에 네가 알려 주긴 했지만, 그 사실에 대해서는 믿을 수가 없었던 아벨의 책이 버젓이 진열되어 있는 것을 보고 무척 놀랐어. 나는 황급히 서점으로 들어갔어. 그렇지만 제목이 너무나도 야릇해서 점원에게 감히 말하기가 부끄러웠어. 아무 다른 책이나 사들고 서점을 나와 버릴까 하고 생각할 정도였으니까. 다행히도 카운터 옆에 《지나친 친밀》이라고 쓰여 있는 책 더미가 손님을 기다리고 있어, 한 권을 뽑아 들고 입을 열 필요도 없이 백 수를 던져놓고 나왔어.

아벨이 그 책을 내게 보내 주지 않은 데 대해 정말 감사해하고 있어. 책장 넘기기가 부끄러웠어. 나는 그 책에서 야비함보다도 우둔함을 더 많이 느꼈어. 너의 친구 아벨 보티에가 이 책을 썼다는 사실이 부끄러웠어. 《르 탕》지의 평론가가 말한 그 '훌륭한 소질'을 찾아보느라 한 장 한 장 넘겨 보았으나 모두 헛수고였어.

이 곳 르아브르에서는 아벨이 곧잘 이야깃거리가 되지. 또 아벨의 책에 대한 평판이 아주 좋다는 것을 알았어. 나는 고칠 길 없는 아벨의 경박을 정묘니 우아니 하며 부르는 것을 듣고 있어. 물론 나는 남들이 내 마음을 눈치채지 못하도록 조심을 하고 있고, 나의 느낌도 네게만 이야기하는 거야. 처음에는 기분이 상해서 난처해하시던 보티에 목사님도 이제는 그 책 속에 무슨 자랑거리라도 있지 않나 하고 생각하기 시작하셨어. 주위 사람들도 누구나 목사님께 그것을 믿게 하려고 애쓰고 있지. 어제만 해도 플랑티에 고모댁에서 고모님이 갑자기 큰 소리로 말씀하셨지.

"아드님이 그렇게 성공을 하셨으니 기쁘시겠습니다, 목사님."

목사님은 좀 당황해하시며 대답하셨어.

"뭘요, 아직 그렇게까지는 생각지 않습니다……."

"그래도 굉장한 걸요. 무척 기쁘실 거예요."

하고 고모님이 말씀하시자, 물론 거기에 악의는 없었지만 그 어조가 마치 용기를 북돋으려는 투여서 목사님까지 모두 웃으셨어.

아벨이 불르바르의 어느 극장에서 상연하려고 〈신 아벨라르〉라는 작품을 준비하고 있다는 신문 기사를 읽었는데, 그것이 상연된다면 도대체 어떻게 될까? 불쌍한 아벨! 이것이 바로 그가 원하고, 또 만족할 만한 성공이란 말인가!

어제 〈마음의 위안〉에서 이런 구절을 읽었어.

'진실로 영원한 영광을 바라는 자는, 세속적인 영광 따위에 마음을 두지 않느니라. 마음속에서 세속의 영광을 경멸하지 않는 자는 스스로 성스러운 영광을 바라지 않는 자이니라.'

그리고 나서 나는 이렇게 생각했어. '감사합니다, 하느님. 어떠한 지상의 영광과도 비길 수 없는 이 성스러운 영광을 위해 제롬을 선택해 주셔서.'

몇 주, 몇 달이 단조로운 복무 속에서 흘러갔습니다. 그러나 늘 추억이나 희망에만 마음을 쏟았기 때문에 세월이 느리다는 것, 또는 시간이 길다는 것을 별로 느끼지 못했습니다.

외삼촌과 알리사는 6월에 해산할 쥘리에트를 보러 님으로 가게 되었습니다. 그런데 예기치 않은, 그다지 반갑지 않은 소식이 와서 그들은 출발을 서두르게 됐습니다.

알리사는 이런 답장을 보내 왔습니다.

르아브르로 보낸 네 마지막 편지는 우리가 막 그 곳을 떠난 뒤에 도착했어. 8일이나 지나서야 이 곳에서 받았다는 걸 어떻게 설명해야 좋을지! 일주일 내내 나는 뭔가 허전하고 무섭고 불안하고 위축된 기분 속에서 지냈어. 오오, 제롬! 네가 있어야 난 참된 나 자신일 수 있고 또 그 이상일 수 있어.

우리는 이제나저제나 쥘리에트의 해산을 기다리는 중이야. 크게 걱정하고 있지는 않아. 오늘 아침 내가 네게 편지 쓴다는 걸 그 애도 알고 있어. 우리가 에그비브에 도착한 다음 날, '제롬은 어떻게 지내? 여전히 편지해?' 하고 쥘리에트가 묻길래 사실대로 말했더니, '이번에 편지할 땐 이렇게 말해 줘……' 하고선 잠시 망설이

더니 부드럽게 미소를 지어 보이면서 이렇게 말했지. '나는 벌써 다 나았다고 말야.'

언제나 쾌활한 그 애의 편지를 받으면서 나는 혹시 그 애가 행복을 가장하고 있지나 않나, 또 그 애 자신이 그런 기분에 휩싸여 버리고 있지나 않나 하고 걱정했었어. 그런데 지금 쥘리에트가 행복이라 생각하고 있는 것은 그 애가 전에 꿈꾸던 것, 전에 행복을 좌우한다고 생각했던 것과는 너무도 달라져 있었어……. 아! 사람들이 행복이라 부르는 것은 어쩌면 이다지도 영혼과 밀접한 것일까! 행복을 외적으로 형성하는 듯한 요소는 얼마나 부질없는 것일까?

내가 혼자 벌판을 거닐면서 생각한 숱한 일들을 네게 알리고 싶지는 않아. 단지 무엇보다도 놀란 것은, 그 곳을 산책하고 있어도 이제는 조금도 즐거움을 느끼지 못한다는 사실이야. 쥘리에트가 행복한 것으로 만족해야 할 텐데……. 어째서 내 맘은 이다지도 억누를 수 없는 알지 못할 우울감에 사로잡혀 있는 것일까? 내가 느끼는, 적어도 내가 바라보는 이 고장의 아름다운 풍경은 오히려 나의 슬픔을 돋우어 줄 뿐이야…….

네가 이탈리아에서 편지하던 무렵, 나는 너를 통해 모든 것을 볼 수가 있었어. 그런데 지금은 너와 함께가 아니고 나 혼자서 바라보는 모든 것이 마치 너에게서 훔쳐온 것만 같은 생각이 들어. 퐁그즈마르나 르아브르에 있을 때 우울한 날에 대비한 저항력을 키워왔지만, 여기 와서 보니 그 힘은 아무 소용도 없어졌어. 그리고 그것이 쓸모 없게 되었다고 생각하니 모든 것이 불안하게만 느껴져. 사람들이나 이 고장의 명랑한 분위기가 오히려 불쾌감을 느끼게 해. 내가 슬프다고 느끼는 것은, 단순히 내가 다른 사람들처럼 떠들썩한 상태가 아니라는 것에 불과할지도 몰라. 아무래도 지금까지

의 내 기쁨 속에는 오만함이 깃들여 있었던가 봐. 왜냐하면 이 낯
선 지방의 즐거운 분위기 속에서 느끼는 내 감정은 일종의 굴욕감
이니 말야. 이 곳에 온 후로는 거의 기도도 드리지 못했어. 이제
하느님께선 옛날 그 자리에 계시지 않으시리라는 어린애 같은 생각
이 들어. 잘 있어. 빨리 펜을 놓아야 되겠어. 이런 모욕적인 말, 나
의 약한 마음, 슬픔 따위를, 또 그것을 고백한다는 것을 나는 부끄
럽게 생각하고 있어.

　그 뒤에 온 편지는 그녀가 대모가 될 조카딸의 출생, 쥘리에트와 외
삼촌의 기쁨에 대해서 쓰여져 있을 뿐, 알리사 자신이 느끼는 감정에
대해서는 한 마디도 언급되어 있지 않았습니다.
　이어서 퐁그즈마르로부터의 편지가 오기 시작했습니다. 쥘리에트도

아기를 데리고 7월에 그 곳에 왔습니다.

　테시에르 씨와 쥘리에트는 오늘 아침에 떠났어. 무엇보다도 내가 아쉬워하는 것은 그 귀여운 조카가 떠났다는 거야. 반 년 후에 다시 만날 때는 몰라보게 달라져 있을 거야. 나는 그 애의 동작을 하나도 놓치지 않고 보았어. 새로운 생명이란 정말 신비롭고 놀라운 것이야! 우리가 평소에 좀더 주의를 기울인다면 놀라운 일을 더 많이 보게 될 거야. 희망에 가득 찬 조그만 요람을 지켜보면서 나는 얼마나 많은 시간을 보냈는지 몰라.

　쥘리에트는 무척 행복해 보여. 나는 그 애가 피아노와 독서를 그만둔 것을 알고 처음에는 슬펐어. 하지만 에두아르 테시에르 씨는 음악을 좋아하지도 않고 책에도 그다지 취미를 갖고 있지 않다는 거야. 남편이 따라오지 못하는 그런 즐거움은 구하지 않겠다고 하는 점에서 쥘리에트는 분명 현명한 것이겠지. 반대로 쥘리에트는 남편이 하는 일에 흥미를 가지고 있고, 또 남편 쪽에서도 자기 사업에 대한 모든 것을 그 애에게 가르쳐 주고 있어.

올해는 그의 사업이 크게 번창했대. 테시에르 씨는 르아브르에 많은 고객이 생긴 것도 다 결혼 덕택이라고 농담처럼 말한단다. 얼마 전 테시에르 씨가 사업 관계로 여행을 갔을 때 로베르도 따라갔어. 테시에르 씨는 여러 가지로 로베르를 돌봐 줄 뿐 아니라 그 애의 성격도 잘 알고 있다고 장담하면서, 로베르가 이러한 사업에 분명히 흥미를 갖게 될 거라고 기대하고 있어.

아버지도 훨씬 좋아지셨어. 쥘리에트가 행복해하는 모습을 보고 더 젊어지신 것 같아. 농장이나 정원 일에 다시 흥미를 느끼게 되셨고, 또 애슈부르통과 셋이서 전에 시작했다가 쥘리에트 가족이 와서 중단됐던, 소리를 높여 읽던 독서를 다시 계속하라고 말씀하셔. 나는 두 분에게 휘브너 남작의 여행기를 읽어 드리고 있는데, 나도 무척 재미를 느끼고 있어. 나도 이제부터는 책 읽는 시간을 더 많이 가질 거야. 그래서 이 책 읽기에 대해 네게서 무슨 조언이 있기를 기다리고 있어. 오늘 아침 몇 권의 책을 뒤적거려 보았지만 읽고 싶은 책이 한 권도 없었어……

알리사의 편지는 이 무렵부터 혼란해지고 절박해졌습니다. 여름이 끝날 무렵 알리사로부터 다음과 같은 편지가 왔습니다.

네가 걱정할까 두렵기는 하지만 내가 얼마나 너를 기다리고 있는가를 말하지 않을 수가 없어. 너를 다시 만날 때까지의 하루하루가 내 가슴을 무겁게 짓누르고 있어. 아직도 두 달! 지금까지 너와 떨어져 지내 온 기간보다도 더 긴 것 같아! 기다리는 마음을 잊으려고 여러 가지로 노력하지만 모든 것이 의미가 없고 무엇에도 마음을 기울이지 못하겠어. 책에서도 아무런 매력을 느끼지 못하겠고 산책을 해도 재미가 없어. 대자연 전체가 위력을 잃은 채 정원도 퇴색하고 향기를 잃은 것 같아. 오히려 그 고된 훈련, 의무적이고 강제적인 그 훈련, 언제나 너로부터 너 자신을 빼앗아 너를 피곤하게 하고 하루하루를 빨리 지나가게 하며, 저녁이 되면 피곤에 지친 너를 잠들게 하는 그 고된 훈련이 내게는 부러워.

훈련에 관해서 써 보낸 감동적인 너의 편지가 나를 사로잡고 있어. 잠을 잘 이룰 수 없던 요 며칠간 나는 기상 나팔 소리에 놀라서 몇 번이나 벌떡 일어나곤 했어. 정말 그 소리가 들리는 것 같았어. 네가 이야기하는 그 가벼운 도취, 새벽녘의 환희, 반쯤은 눈부심 속에서 바라보는 저 발제빌르의 고지는 얼마나 아름다울까! 이 모든 것을 나는 아주 쉽게 상상할 수 있어.

얼마 전부터 나는 몸이 좋지가 않아. 아니, 대수로운 건 아니야. 단지 너를 좀 지나치게 기다린 때문인가 봐. 단지 그 때문일 거야.

그로부터 6주일 뒤에 다시 편지가 왔습니다.

이것이 우리가 만나기 전의 마지막 편지야. 제롬, 네가 돌아올 날짜가 아직 확정되지 않았다 하더라도 그리 늦어지지야 않겠지. 나는 퐁그즈마르에서 너를 만나고 싶었으나 날씨가 갑자기 나빠진데다가 서늘해져서 아버지는 자꾸 시내로 돌아가자고 하셔. 지금은 쥘리에트도 로베르도 없으니 얼마든지 집에 와서 머물 수 있지만,

너는 역시 고모님 댁에 머무르는 편이 좋을 것 같아. 고모는 너와 함께 있는 걸 무척 기뻐하실 거야.

다시 만날 날이 다가올수록 기다리는 마음은 더욱 불안스럽기만 해. 거의 두려움에 가까운 기분이 드는구나. 네가 돌아오기를 그처럼 기다렸는데 막상 네가 돌아온다니 두려워져서 이 이상 거기에 대해서 생각지 않으려고 애쓰고 있어. 네가 누르는 초인종 소리, 계단을 올라오는 너의 발소리를 상상하기만 해도 숨이 끊어질 것 같고 가슴이 콱 막히는 것 같아.

내가 너에게 뭐라 얘기할까에 대해 너무 기대를 갖지 말기를 바래. 내 과거는 거기서 끝나 버릴 것만 같으니까. 그 너머 저쪽에는 아무것도 보이지 않아. 내 삶이 정지되어 버린 듯.

그로부터 나흘 뒤에, 즉 내가 제대하기 일주일 전에 아주 짧은 편지 한 통을 또 받았습니다.

제롬, 르아브르에 머물면서 우리의 첫 재회 시간을 지나치게 연장시키려고 노력하지 않는 것에 나는 찬성이야. 지금까지 편지에 쓴 것 외에 서로에게 또 무슨 할 말이 있겠니? 그러니 학교 등록 때문에 28일까지 파리로 돌아가야 한다면 망설이지 말고 가도록 해. 이틀 동안밖에 함께 있지 못한다고 섭섭하게 생각하지도 마. 우리 앞에는 아직 긴 일생이 남아 있잖아.

슬픈 재회

우리는 플랑티에 이모 집에서 재회했습니다. 군복무 탓인지 나는 왠지 둔중해진 것처럼 느껴졌습니다. 그리고 알리사도 내가 변했다고 생각하는 것을 알 수 있었습니다. 하지만 그런 느낌들이 우리 둘 사이에 무슨 상관이 있으랴? 나는 알리사의 옛 모습을 이제는 찾아볼 수 없지나 않을까 하는 걱정에서 처음에는 그녀를 똑바로 쳐다보지도 못했습니다. 오히려 우리를 어색하게 만든 것은, 모든 사람들이 우리에게 강요하려는 약혼자끼리의 역할, 누구나 우리 둘만을 있도록 하려고 서둘러 우리 앞을 떠나 버리려고 하는 어설픈 친절이었습니다.

"고모, 그러지 마세요. 우리에게 비밀 같은 건 아무것도 없어요."

알리사는 이모가 자리를 비키기 위해 지나치게 수선을 피우는 것을 보다못해 소리쳤습니다.

"아니다! 그래도 그렇지 않은 거다! 난 너희들을 잘 알고 있어. 오랫동안 떨어져 있으면 서로가 얘기하고 싶었던 일들이 산같이 쌓여 있는 법이야."

"정말이에요. 고모가 나가시면 오히려 저희들이 쑥스러워져요."

이번의 알리사의 목소리에는 노기마저 서려 있었습니다.

"이모가 나가시면 저희는 한 마디도 하지 않을 거예요."

나 역시도 웃으면서 이렇게 말했으나, 단둘이 남게 되면 어떻게 할까 하는 걱정에 사로잡혀 말했습니다.

그래서 우리 세 사람은 각기 불안함을 느끼고 있으면서도 거짓으로 즐거운 척하면서 겉으로는 쾌활한 표정으로 이야기를 주고받았습니다. 점심 시간이 되자 외삼촌이 날 부르셔서 우리는 다음 날 만나기로 했습니다. 그래서 첫날 오후에는 이런 희극이 끝나는 것만으로도 안심이 되어 아무렇지 않게 헤어졌습니다.

다음 날, 나는 일찍 외삼촌 댁으로 갔습니다. 그러나 알리사는 그녀의 친구와 이야기하고 있었습니다. 알리사는 그 친구를 돌려보낼 생각을 하지 않았고, 친구도 도무지 돌아갈 생각을 하지 않는 것 같았습니다.

이윽고 그 친구가 가 버리고 단둘이 있게 되었을 때, 나는 알리사가 점심을 같이하자고 그 친구를 붙들지 않은 데 대해 짐짓 놀라는 척을 해 보였습니다. 나도 알리사도 전날 밤 잠을 잘 이루지 못해 피곤했기 때문에 두 사람 모두 신경이 날카로워져 있었습니다.

외삼촌이 들어왔습니다. '외삼촌도 이제 많이 늙으셨구나.' 하는 내 생각을 알리사가 눈치챘습니다. 외삼촌은 귀가 어두워져 내 이야기를 잘 듣지 못했습니다. 그 때문에 나는 목소리를 높여야 했고, 그 때문에 내 이야기는 뒤죽박죽이 되어 버렸습니다.

점심 식사가 끝나자 미리 약속했던 대로 플랑티에 이모가 마차로 우리를 데리러 왔습니다. 이모는 알리사와 내가 가장 아름다운 길을 걸어서 오도록 할 의도에서 오르세에서 우리를 잠시 내려 주셨습니다.

계절에 비해서 더운 날씨였습니다. 우리가 걷게 된 언덕길은 내리비치는 태양빛으로 인해 아무런 운치도 없었습니다. 헐벗은 나무들은 우리에게 그늘을 만들어 주지 못했습니다. 이모가 우리를 기다리고 있는 마차로 빨리 가야겠다는 생각에 우리는 걸음을 재촉했습니다. 나는 머리가 몹시 아팠기 때문에 아무런 생각도 떠오르지 않았습니다. 태연한 척하기 위해서, 혹은 그렇게 함으로써 이야기를 하지 않아도 되었기 때문에 나는 걸으면서 알리사의 손을 꼭 잡고 있었습니다.

흥분한데다가 빨리 걸어 숨이 차고, 침묵의 어색함 때문에 우리는 얼굴이 달아올랐습니다. 내 관자놀이가 뛰는 것을 느꼈습니다. 알리사의 얼굴은 흉한 느낌이 들 정도로 빨개졌습니다. 이윽고 우리는 땀에 젖은 손을 잡고 있다는 어색함을 느끼고 슬그머니 손을 놓아 버렸습니다.

우리는 너무나 서둘러 걸었기 때문에 우리에게 이야기할 시간을 주려고 다른 길로 돌아서 아주 천천히 온 이모의 마차보다 훨씬 먼저 네거리에 도착했습니다.

우리는 언덕의 비탈에 앉았습니다. 갑자기 불어온 서늘한 바람에 땀에 젖어 있던 몸이 한기를 느꼈습니다. 우리는 마차를 마중하기 위해 일어섰습니다. 그러나 견디기 힘들었던 것은 이모의 성가신 친절이었습니다. 이모는 우리가 실컷 이야기를 했으리라 믿고 약혼에 대해 꼬치꼬치 캐물었습니다. 견디다 못해 알리사는 두 눈에 눈물까지 글썽이며 머리가 몹시 아프다는 핑계를 댔습니다. 우리는 더 이상 말없이 집으로 돌아왔습니다.

다음 날, 잠이 깨자 몸이 무겁고 감기가 들어 아팠기 때문에 오후가 되어서야 외삼촌 댁으로 갔습니다. 공교롭게도 알리사는 혼자가 아니었습니다. 플랑티에 이모의 손녀인 마들렌이 와 있었습니다. 나는 알리사가 곧잘 그 애와 이야기하기를 좋아한다는 것을 알고 있었습니다. 그 애는 며칠을 자기 할머니 집에서 묵고 있던 참이었는데, 내가 들어서자 반가워하며 말했습니다.

"돌아갈 때 언덕으로 해서 가시려거든 같이 올라가요."

나는 무심코 승낙해 버렸습니다. 그래서 외삼촌 댁에서 알리사와 단둘이 만날 기회는 없어져 버렸습니다. 그러나 이 귀여운 어린애가 어떤 면에서는 도움이 되기도 했습니다. 전날처럼 감당하기 어려운 어색함 같은 건 느끼지 않아도 좋았기 때문입니다.

우리 셋 사이의 이야기는 곧 자연스럽게 이루어졌고, 내가 염려했던 것처럼 쑥스럽지는 않았습니다. 내가 작별 인사를 하자 알리사는 야릇한 미소를 보였습니다. 내가 다음 날 떠난다는 사실을 깨닫지 못하는 것 같았습니다.

저녁 식사 후에 나는 막연한 불안감에 사로잡혀 시내로 내려가서 거의 한 시간을 헤매다가 외삼촌 댁으로 갈 결심을 했습니다.

대문을 열어 준 사람은 외삼촌이었습니다. 알리사는 몸이 불편해 벌써 자기 방으로 올라갔다고 하는데, 아마도 잠이 든 모양이었습니다. 나는 잠시 외삼촌과 이야기하다가 나왔습니다.

모든 일이 이처럼 빗나가 화가 나기도 했지만 그렇다고 불평을 한들 아무 소용이 없었습니다. 설령 모든 일이 우리에게 유리하게 진행되었다 하더라도, 우리는 역시 그런 어색한 느낌을 꾸며 냈을지도 모를 일입니다. 그러나 무엇보다도 알리사 역시 그것을 느꼈다는 사실이 슬펐습니다.

파리에 돌아와 나는 곧 다음과 같은 편지를 받았습니다.

제롬, 얼마나 어색한 재회였는지! 그 잘못을 너는 다른 사람들에게 돌리는 것 같았어. 하지만 너 자신도 그 점을 확신하지는 못했겠지만, 내 생각에는 우리가 앞으로도 늘 그러리라 여겨져. 나는 그것을 잘 알고 있어. 그러니 이제부터는 우리 만나지 말기로 해. 제발 부탁이야!

서로에게 하고 싶은 이야기가 태산같이 많은데도 왜 그런 거북한 감정, 어색한 느낌, 마비 상태, 침묵 같은 것이 우리를 엄습했을까?

네가 돌아온 첫날은 그 침묵마저도 즐거웠어. 왜냐하면 침묵은 곧 깨지고 너는 굉장한 이야기를 들려줄 것이라 믿었기 때문이야. 그러기 전에 네가 떠나가 버리리라고는 생각지도 못했어.

그러나 오르세에서 우리의 우울한 산책이 침묵 속에서 끝나는 것을 보고, 더구나 우리의 손이 서로 떨어져 아무런 희망도 없이 내려뜨려졌을 때, 내 가슴은 슬픔과 고통으로 찢어질 것만 같았어.

그 다음 날, 바로 어제였지. 아침결에 나는 미친 듯이 너를 기다렸어. 집 안에 있기에는 너무나 마음이 혼란해서 네가 오더라도 내가 있는 곳을 알 수 있도록 하기 위해서 방파제로 오라고 쪽지를 적어 두고 나와 버렸어. 오래도록 파도가 굽이치는 바다를 바라보았지만, 너 없이 나 혼자서 그것을 보고 있는 게 가슴 아프게 여겨졌고, 불현듯 네가 내 방에서 나를 기다리고 있을지도 모른다는 생각이 들어 집으로 다시 돌아왔어.

오후에는 혼자 있지 못하리라는 것을 나는 알고 있었어. 그 전날 마들렌이 오겠다고 했었기 때문이지. 하지만 우리들의 이번 만남 중에서 유일하게 즐거운 시간이 있었다면 아마 마들렌과 함께 있었던 시간이라고 생각해. 잠시 동안 나는, 그처럼 거리낌없는 대화가 오래 계속될 것만 같은 환상에 빠졌었어. 그래서 그 애와 함께 앉아 있던 소파 가까이로 네가 다가와서 나를 향해 몸을 굽히며 '잘 있어' 하고 말했을 때 난 대답조차 할 수 없었던 거야. 모든 것이 끝나 버리는 것 같았어. 갑자기 네가 떠난다는 사실을 깨달았기 때문이야.

마들렌과 함께 네가 나가 버리자, 나는 그런 일은 도저히 있을 수 없으며 또 참을 수도 없는 일로 생각되었어. 그래서 난 곧 뒤쫓아 나갔지. 내가 널 뒤쫓아 나갔다는 것을 너는 짐작도 못했을 거야! 좀더 너와 이야기하고 싶었고 아직 내가 하지 않았던 많은 이야기를 네게 들려주고 싶었어. 나는 플랑티에 고모 댁으로 달려갔지만 시간이 너무 늦었고, 또 용기도 없었어. 나는 낙심한 채로 돌아왔어. 네게 편지를 쓰려고…….

너에게 다시는 편지를 쓰고 싶지 않았지만, 마지막으로 이별의 편지를 쓰기로 했어. 왜냐하면 결국 우리가 편지를 주고받는 건 단지 커다란 환영에 지나지 않으며, 너나 나나 자기 자신에 대해 편지를 쓰고 있음에 불과하다는 생각이 너무도 확실하게 떠올랐기 때문이야. 아! 제롬. 우리는 너무나 멀리 떨어져 있었다는 사실을 그제서야 나는 분명하게 깨달았어.

오, 내가 전보다 너를 덜 사랑하는 건 아냐. 제롬! 네가 내 곁에 오던 순간 나는 마음이 혼란스러워지고 어색해졌지만 또 그 때만큼 사무치도록 너를 사랑하고 있다고 느껴 본 적도 없었어. 하지만 거기에는 절망감이 깃들어 있었어. 왜냐하면 솔직히 말해서 나는 너와 멀리 떨어져 있을 때 더욱 너를 사랑했기 때문이야.

아아! 그렇게도 보고 싶던 너를 다시 만나자 이러한 사실을 확연히 깨달았어. 그리고 제롬, 너도 그 사실을 인정해야 돼. 잘 있어. 사랑하는 제롬, 하느님이 너를 지켜 주시고 인도해 주시기를 빌게. 안심하고 우리가 가까이 다가설 수 있는 것은 하느님뿐이야.

그리고 이 편지만으로는 아직 나를 충분히 괴롭히지 못했다는 듯 다음 날 다음과 같은 편지를 덧붙여 왔습니다.

이 편지를 부치기 전에, 우리 두 사람에 관해서 좀더 신중한 태도를 취해 주기를 부탁하고 싶어. 너와 나 사이에서만 간직하고 있어야 할 일을 쥘리에트나 아벨에게 들려줌으로써 내 마음을 아프게 한 것이 몇 번인지 몰라. 바로 이런 점이 네가 짐작하기 훨씬 전부터 나는 너의 사랑이 머릿속의 사랑이었고, 애정과 성실함에 대한 지적인 아름다운 도취에 지나지 않는다고 생각하게 됐어.

내가 이 편지를 아벨에게 보여 주지나 않을까 하는 염려에서 이 몇 줄을 덧붙였음에 틀림없었습니다. 어떤 날카로운 예감에서 그녀는 이다지도 신중하게 되었을까? 전에 내가 한 이야기 중에서 아벨의 조언을 눈치챈 것일까?

나는 그 이후, 나와 아벨 사이에 커다란 간격이 있음을 느꼈습니다. 우리는 서로 다른 길을 걷고 있었습니다.

그 후의 3일 동안을 나는 고통 속에서 지냈습니다. 나는 알리사에게 답장을 쓰고 싶었습니다. 그렇지만 너무 지나친 논쟁이나 격한 항변이나 서툰 말을 함으로써 우리의 상처를 고칠 수 없을 정도로 깊게 만들지나 않을까 두려웠습니다. 내 사랑이 몸부림치는 편지를 나는 몇 번이나 썼다가 고쳐 쓰곤 했습니다.

마침내 부치기로 결심했던 편지의 사본, 눈물에 얼룩진 이 글을 나는 지금도 눈물 없이는 읽을 수가 없습니다.

알리사! 나를, 우리 둘을 불쌍히 여겨 줘! 너의 편지는 내 마음을 너무도 아프게 했어. 네 걱정을 그저 웃어넘길 수만 있다면 얼마나 좋을까! 그래, 네가 써 보낸 모든 것을 나도 느끼고 있었어. 하지만 그렇게 생각하기가 두려웠어. 하지만 너는 한갓 가상에 지나지 않는 일에 무서운 현실성을 부여하고, 또 그것을 우리 둘 사이에서 더욱 심각하게 만들고 있어.

만일 네가 나를 전처럼 사랑하지 않는다고 느끼게 된다면……. 아아! 네 편지 전체가 부인하고 있는 이 잔인한 가정을 멀리 떨어 버리고 싶어! 그리고 보면 일시적인 너의 두려움쯤이야 무슨 상관 있겠니? 알리사, 이치를 따지자니 말문이 막혀. 단지 나는 울부짖고 있을 뿐이야. 기교 따위를 부리기에는 나는 너무나 너를 사랑하고 있어. 그리고 그 사랑이 커지면 커질수록 내 말은 더욱 서툴러져 가기만 해.

'머릿속의 사랑'이라니……. 여기에 나는 뭐라고 대답해야 할까?

나의 온 영혼으로 너를 사랑하고 있는데, 어떻게 나의 이성과 감정을 구별할 수 있을까?

　그러나 우리의 편지 왕래가 이처럼 너의 가혹한 비난의 원인이 될 바에야, 그리고 또 그러한 편지 왕래에 뒤이어 찾아온 현실에서의 불만족이 이토록 쓰라린 상처를 받게 할 바에야, 또한 네가 편지를 한다 하더라도 이제는 단지 너 자신에게 할 뿐이라고 생각할 것이기 때문에, 또 이 같은 내용의 다른 편지를 감당해 낼 만한 힘이 내게 없기 때문에, 진심으로 우리 사이의 편지 왕래는 잠시 멈춰 두기로 하자.

그리고 이 편지에 덧붙여서 나는 그녀의 판단에 항의하면서, 생각을 돌이켜 주도록 호소하고 다시 만날 약속을 해 달라고 애원했습니다.

지난번에 만났을 때에는 모든 것이 어긋나 있었습니다. 무대 장치며 단역 배우, 계절도 신통치 못했고, 열이 올라 있던 우리의 편지 왕래까지도 우리의 만남을 신중하게 준비하지 못했던 것입니다. 이번에는 다시 만날 때까지 오랜 침묵이 따라야 한다고 생각합니다.

나는 돌아오는 봄에 퐁그즈마르에서 다시 만나고 싶었습니다. 거기서라면 지난날의 추억도 내게 유리하게 작용할 것이고, 외삼촌도 반가이 맞아 주실 것이기 때문이었습니다. 그리하여 부활절 휴가를 이용해서 며칠이고 알리사가 좋다고 생각하는 동안 퐁그즈마르에 머무르고 싶었습니다.

결심이 굳게 섰음을 확신하자 나는 편지를 부친 후, 곧 학업에 열중할 수 있었습니다.

그 해가 끝날 무렵 나는 알리사를 다시 보게 되었습니다. 몇 달 전부터 건강이 나빠지고 있던 애슈부르통이 크리스마스를 나흘 앞두고 세상을 떠났기 때문입니다. 제대 후에 나는 다시 그녀와 함께 살았으며, 거의 함께 있었기 때문에 임종을 지켜볼 수가 있었습니다.

알리사에게서 온 엽서를 받아 보고, 나는 그녀가 나의 슬픔보다도 우리의 침묵의 맹세를 더욱 중요시하고 있다는 사실을 깨달았습니다. 외삼촌이 오실 수 없기 때문에 자기가 장례식에만 잠시 참석하러 오겠다고 했습니다.

장례식에서도 그리고 묘지로 옮길 때에도 거의 그녀와 나 둘뿐이었습니다. 나란히 걸으면서 우리는 별로 말을 하지 않았습니다. 그러나 교회에서 그녀가 내 곁에 앉아 있을 때 나는 몇 번이고 그녀의 다정한 눈길이 내게로 향하는 것을 느꼈습니다.

헤어질 무렵 그녀가 말했습니다.

"그럼 잘 알겠지? 부활절 전까지는 아무것도……."

"그래, 하지만 부활절에는……."

"기다리고 있겠어."

우리는 묘지 입구에 서 있었습니다. 나는 역까지 바래다 주겠다고 했습니다. 그러나 알리사는 지나가는 마차를 세워 타고 잘 있으란 말 한마디 없이 나를 남겨 두고 가 버렸습니다.

미덕의 함정

"알리사가 정원에서 너를 기다리고 있다."

내가 4월 말 퐁그즈마르에 도착하자 외삼촌이 내게 키스하며 말했습니다. 나는 그녀가 얼른 뛰어나와 나를 맞아 주지 않는 것에 처음에는 서운했으나, 곧 그녀가 다시 만나게 된 첫 순간의 의례적인 인사치레를 생략할 수 있도록 한 데 고마움을 느꼈습니다.

알리사는 정원 안쪽에 앉아 있었습니다. 때마침 철을 만나 활짝 핀 라일락, 마가목, 금잔화, 베즐리아 등의 꽃 덩굴로 빽빽이 둘러싸인 둥 그런 길의 갈림터 쪽으로 나는 천천히 걸어갔습니다.

너무 멀리서부터 그녀를 보지 않도록, 아니 내가 오는 것을 그녀가 보지 못하도록 나는 정원의 다른 쪽으로, 나뭇가지 밑으로 서늘하게 그 늘진 오솔길을 따라서 되도록 천천히 걸었습니다. 하늘도 나의 기쁨처 럼 따뜻하고 눈부시게 빛나고 있었고 티없이 맑았습니다. 아마도 알리 사는 내가 다른 길로 오리라 생각하고 기다렸던 모양입니다.

나는 그녀의 등뒤에까지 갔습니다. 그런데도 그녀는 모르고 있었습니 다. 나는 걸음을 멈추었습니다. 시간마저도 나와 함께 멈춘 것 같았습니 다. 이 순간이야말로 가장 행복한 순간이라는 생각이 들었습니다. 아니 행복 그 자체도 미칠 수 없는 감미로운 순간이라고 생각했습니다.

나는 그녀 앞에 무릎을 꿇고 싶었습니다. 나는 한 걸음 더 다가섰습니 다. 마침내 그녀도 내 발소리를 들었고 벌떡 일어서는 바람에 놓고 있던 수예품이 굴러 떨어졌지만, 알리사는 그것도 모른 채 내게로 양팔 을 내밀어 내 어깨 위에 올려 놓았습니다.

얼마 동안을 우리는 그렇게 서 있었습니다. 그녀는 미소를 띠면서 고 개를 갸웃하고 다정한 눈길로 말없이 나를 바라보았습니다. 그녀는 온 통 하얀 옷을 입고 있었습니다. 나는 지나칠 정도로 경건해 보이는 그 녀의 얼굴에서 그 변함없는 앳된 미소를 다시 보았습니다.

"이봐, 알리사."

하고 나는 느닷없이 소리쳤습니다.

"나는 앞으로 12일 동안 방학이야. 하지만 네가 원치 않는다면 단 하 루도 더 머무르지 않을 테야. 그러니까 말야, 내가 이 곳을 떠나기를 바라는 무슨 신호나 표시를 미리 정하기로 해. 그러면 다음 날 나는

아무런 비난이나 불평 없이 떠날게. 알았지?"

미리 준비된 말이 아니어서 한결 부드럽게 이야기할 수 있었습니다. 그녀는 잠시 생각에 잠기더니 곧 대답했습니다.

"저녁 식사하러 내려갈 때, 어때? 그 때는 자수정 십자가 목걸이를 걸지 않겠어."

"그것이 나의 마지막 저녁이란 말이지?"

"하지만 눈물도 흘리지 말고 한숨도 쉬지 말고 넌 떠나야 해."

"작별 인사도 없이 떠나겠어. 그 마지막 저녁에도 전날 저녁과 다름 없이 아무렇지도 않게 헤어질 테야. 아직 알아차리질 못했나 하고 네가 생각할 정도로 말야. 하지만 다음 날 아침 네가 나를 찾을 때 나는 이미 이 곳에 없을 거야."

그녀는 내게 손을 내밀었다. 그 손을 입술에 갖다 대면서 나는 이렇게 덧붙여 말했습니다.

"하지만 지금부터 그 마지막 저녁까지는 내게 어떤 눈치도 줘서는 안 돼, 알았지?"

이제는 이 재회의 엄숙한 분위기로 말미암아 자칫하면 우리 두 사람 사이에 생겨날지도 모르는 서먹서먹함을 깨뜨려야 할 차례였습니다.

"정말이지 난."

나는 말을 계속했습니다.

"네 곁에서 지낼 며칠 동안이 우리들의 지난날과 꼭 같았으면 좋겠어. 말하자면 이 며칠간을 무슨 특별한 날인 것처럼 우리가 느끼지 않았으면 좋겠다는 거야. 그리고 처음부터 너무 이야기하려고 애쓰지 않았으면 좋겠어."

알리사가 웃었습니다.

나는 덧붙여 말했습니다.

"우리 함께 해 볼 만한 일은 없을까?"

우리는 전부터 정원을 손질하는 데 재미를 붙여왔습니다. 아직 익숙하지 못한 정원사가 전에 있던 정원사의 뒤를 이어 들어온 지 얼마 되지 않아, 두 달 동안이나 방치해 두었던 정원에는 할 일이 너무 많았습니다. 장미나무도 손질이 되지 않아 그 중 싱싱하게 자라나는 것들에는 시든 가지가 잔뜩 엉겨붙어 있었습니다. 손질을 해 주지 않아 너무 자란 잔가지들이 다른 가지를 시들게 했습니다.

장미나무는 대부분 우리가 접붙여 놓은 것들이었습니다. 우리는 그 장미나무들을 한눈에 알아볼 수 있었습니다. 그것을 돌보느라고 처음 사흘 동안은 힘들이지 않고도 서로 이야기할 수 있었고, 이야기를 주고받지 않을 때에도 그 침묵이 어색하게 느껴지지 않았습니다.

이렇게 해서 우리는 차츰 서로에게 익숙해져갔습니다. 나는 무엇보다도 이렇게 서로 익숙해져 간다는 데 더욱 기대를 걸었습니다. 헤어져 있었다는 기억마저 이미 우리 사이에서 사라졌고, 내가 그녀에게 느끼던 두려움도, 또 그녀가 두려워하던 내 마음의 변화도 차츰 흐릿해져 갔습니다. 지난 가을 그 어색한 만남에서보다 한층 앳되 보이는 알리사는 그 어느 때보다도 더욱 아름다웠습니다. 나는 아직도 그녀와 키스해 본 적이 없었습니다.

저녁마다 나는 알리사의 웃옷 위에서 그 조그마한 자수정 십자가가 금줄에 달려서 반짝이는 것을 보았습니다. 내 가슴 속에 다시금 희망이 싹터 왔습니다. 희망이라고? 아니, 그것은 이미 확신이었습니다. 그리고 알리사 또한 그렇게 느끼고 있으리라고 짐작했습니다. 왜냐하면 나 자신의 생각을 의심할 수 없었기 때문에 그녀 또한 당연히 나처럼 여기리라고 생각했던 것입니다.

우리의 대화는 차츰 대담해졌습니다.

"알리사."

아름다운 대기가 웃음을 머금고, 우리의 가슴이 꽃봉오리처럼 피어나던 어느 날 내가 말했습니다.

"이제는 쥘리에트도 행복하게 되었으니 우리도……."

나는 이렇게 말하며 천천히 그녀를 바라보았습니다. 그런데 그 순간 그녀의 안색이 너무나 창백해져서 나는 말을 끝마칠 수가 없었습니다.

"제롬!"

하고 그녀는 나를 돌아보지도 않은 채 말했습니다.

"네 곁에 있으면 나는 더할 수 없이 행복해……. 하지만 내 말을 들어 봐. 우리는 행복하려고 태어난 건 아냐."

"그럼 인간의 영혼이 행복 외에 무엇을 바란단 말이야?"

하고 나는 성급하게 소리쳤습니다.

그녀는 이렇게 중얼거렸습니다.

"성스러운 것……."

그 목소리가 너무도 작았기 때문에 나는 이 말을 들었다기보다는 그러한 말일 거라고 짐작했습니다.

내 모든 행복은 나를 버린 채 하늘로 날아가 버렸습니다.

"나는 너 없이는 행복해질 수 없어."

급기야 나는 그녀의 무릎에 이마를 파묻고 어린애처럼 울면서 말을 이었습니다.

"너 없이는, 너 없이는 안 돼!"

그 날도 다른 날과 마찬가지로 지나갔습니다. 그렇지만 그 날 저녁, 알리사는 자수정 십자가를 달지 않고 나타났습니다.

다음 날, 나는 약속대로 새벽녘에 그 집을 떠났습니다.

내가 떠난 그 다음 날 나는 알리사로부터 다음과 같은 편지를 받았습니다. 거기에는 셰익스피어의 시 몇 구절이 적혀 있었습니다.

　그 곡을 다시 한 번──끊일 듯이 스러지는 그 선율을.
　오오, 오랑캐꽃 핀 언덕 위로
　꽃향기를 실어다 주는 향긋한 남풍처럼
　그것은 내 귀에 들려왔다.──됐어 이제는 그만.
　이젠 아까처럼 달지가 않구나.

　그렇구나, 아침 내내 나는 나도 모르게 너를 찾았어. 제롬, 네가 떠났다는 것을 나는 믿을 수가 없었어.
　네가 약속을 지켜 버린 게 원망스러웠어. 나는 이것을 장난이려니 생각했어. 정원의 덤불마다 네가 나타나지 않을까 하고 열심히 살피고 다녔어. 하지만 너는 정말 떠나 버렸더구나!
　그로부터 하루 종일 나는 네게 알려 주고 싶은 몇 가지 생각에 사로잡혔어. 그리고 또 만일 그 생각들을 네게 알려 주지 않는다면, 내가 네게 해 주어야 할 일을 소홀히 했다는 느낌과 함께, 또 미래에 마땅히 네게 원망을 들을 만한 것이라고 여겨졌어.
　네가 퐁그즈마르에 머문 처음 몇 시간 동안, 나는 네 곁에서 느끼지 않을 수 없던 그 야릇한 충족감에 놀랐고 곧 그것 때문에 불안해졌어. '이 이상 아무것도 더 바랄 수 없을 정도의 충족감!'이라고 너는 내게 말했어. 그런데 나를 불안하게 만드는 것은 바로 그것이었어…….
　내 말뜻을 잘못 이해할까 두려워, 제롬. 가장 강렬한 내 심정의 표현을 하나의 까다로운 이론의 전개(오오, 얼마나 어설픈 이론일까!)로 생각지나 않을까 두려워.

'충족시키지 못한다면 그것은 행복이 아닐 거야.'라고 내게 한 말이 생각나니? 그 때 나는 어떻게 대답해야 할지 몰랐어. 하지만 아니야, 제롬. 그것은 우리를 행복하게 해 주지 않아. 더할 나위 없는 환희로 가득한 충족감, 나는 그것을 진실한 것이라고 생각할 수 없어. 지난 가을 우리는 이러한 충족감 뒤에 어떤 슬픔이 도사리고 있는가를 분명히 깨달았잖아?

아아, 하느님께서는 우리에게 있어서 그러한 충족감만을 진실한 것으로는 하지는 않으실 거야. 우리는 좀더 다른 행복을 위해서 태어났다고 믿어.

전에 주고받은 편지가 가을의 재회를 슬프게 했듯이 이제 네가 여기 있었다는 추억이 오늘 쓰는 이 편지의 기쁨을 앗아가 버렸어. 네게 편지를 쓸 때마다 느꼈던 그 황홀감이 이제는 어디로 간 걸까? 편지를 주고받고 서로 만나고 했기 때문에 우리의 사랑이 가질 수 있는 그 순수한 기쁨을 우리는 남김없이 고갈시켜 버렸어. 그래서 나는 이제 나도 모르게 〈십이야〉에 나오는 오시노처럼 이렇게 부르짖고 있어.

'됐어 이제 그만. 그건 아까처럼 달콤하지가 않구나!'

잘 있어, 제롬. Hic incipit amor Dei(하느님에 대한 사랑이 여기에서 시작되노라).

아아! 내가 너를 얼마나 사랑하고 있는지를 너도 알까?

너의 영원한 알리사

미덕이라는 함정 앞에서 나는 속수무책이었습니다.

온갖 영웅적인 기분이 나를 유혹하면서 자꾸 끌고 갔습니다. 왜냐하면 나는 그러한 영웅주의와 사랑을 구분하지 못했기 때문입니다.

알리사의 편지는 나를 무모한 열정에 도취시켜 버렸습니다. 내가 좀 더 미덕을 쌓으려고 한 것은 단지 알리사를 위해서였습니다. 어떤 길이든 위로 올라가는 길이라면 그 길은 나를 알리사가 있는 곳으로 데려다 줄 것 같았습니다.

아아! 나는 우리 둘만을 받아들이기 위해서라면 대지가 아무리 좁아져도 오히려 넓다고 생각할 것이었습니다. 하지만 슬프게도 나는 알리사의 교묘한 가장을 눈치채지 못했으며, 애써서 올라간 봉우리에서 그녀가 나를 피해 다시 도망치리라고는 꿈에도 생각지 못했습니다.

나는 긴 답장을 썼습니다. 나는 그 중에서도 어느 정도 상황을 짐작하게 할 수 있는 단 한 구절만을 기억하고 있을 뿐입니다.

나의 사랑은 내가 지니고 있는 것 중에서 가장 훌륭한 것이며, 내 모든 미덕도 거기에 딸려 있는 거야. 사랑이야말로 나를 나 이상의 위치로 끌어올려 주며, 만일 사랑이 없다면 난 대부분의 평범한 인간들이 머무는 보통의 높이로 다시 떨어져 내릴 수밖에 없을 거야. 너와 다시 만날 수 있다는 희망 때문에 이 이상 험하고 좁은 길도 내겐 언제나 가장 보람 있는 최상의 길이라 생각되어져.

이 편지에 내가 무슨 얘기를 더 썼는지 알리사는 다음과 같이 답장을 보내 왔습니다.

하지만 제롬, 성스럽게 된다는 것은 선택이 아니야. 그건 의무야 (편지에는 이 의무란 단어 밑에 줄이 세 개나 그어져 있었습니다).

만약 네가, 내가 믿어 온 그런 사람이라면 너도 이 의무에서 도망 치지는 못할 거야.

그것뿐이었습니다. 우리의 편지 왕래는 이것으로 끝나 버렸고, 아무리 교묘한 충고나 굳건한 의지로서도 이제 어찌할 수 없다는 것을 나는 이해했다기보다는 예감했습니다.

하지만 나는 또다시 애정에 넘치는 긴 편지를 썼습니다. 세 번째 편지를 부친 뒤에 나는 다음과 같은 편지를 받았습니다.

제롬!

내가 네게 편지를 쓰지 않기로 결심했다고 생각지는 마. 다만 나는 편지 쓰는 것이 마음에 내키지 않을 뿐이야. 네 편지는 여전히 나를 즐겁게 해 주고 있지만 이렇게까지 네가 나를 생각하도록 만든 데 대해서 나는 나 자신을 질책하고 있어.

이젠 여름도 얼마 남지 않았어. 우리 당분간은 편지를 쓰지 않기로 하자. 그리고 9월 하순의 두 주일을 퐁그즈마르에 와서 나와 함께 보내 줄 수 있겠니? 승낙한다면 답장은 필요 없어. 그것을 승낙의 표시로 알 테니까.

나는 답장을 쓰지 않았습니다. 이 침묵이야말로 알리사가 나에게 부과한 마지막 시련이었습니다. 몇 달 동안의 공부와 몇 주일 동안의 여행을 마치고 퐁그즈마르에 왔을 때 내 마음은 차분히 안정감을 되찾고 있었습니다.

이 짤막한 이야기로, 처음에는 나 자신도 이해하지 못했던 일을 어떻게 독자들에게 이해시킬 수 있을 것인가? 그 후 나를 여지없이 절망 속으로 밀어넣은 그 슬픈 사건 이외에 무엇을 내가 여기에 적을 수 있을 것인가? 지금에 와서는 그 가장 부자연스러워 보이던 가면 밑에서 여전히 사랑이 용솟음치고 있음을 알아채지 못한 것을 통탄하고 있지만, 처음에는 그 가면밖에 보이지 않아 옛날의 모습을 찾아볼 길이 없을 만큼 변한 그녀를 보고 암담한 마음으로 울지 않을 수 없었습니다.

아니, 그 때에도 나는 그녀를 비난하지는 않았습니다. 단지 지난날의 그녀의 모습을 찾을 길이 없어 절망감에 울었을 뿐입니다. 그녀의 애정이 지니고 있었던 침묵의 술책이나 잔인한 기교 등에 의하여, 그녀가 내게 품었던 사랑의 힘을 잴 수 있게 된 지금에 이르러서야, 알리사가 혹독하게 나를 슬프게 한 이면 뒤의 감추어진 사랑을 깨달을 수 있었습니다.

경멸? 무관심? 아니, 이겨 내야 할 것은 아무것도 없었습니다. 내가 마주 서서 싸울 대상이 아무것도 없었습니다. 그리하여 나는 가끔 주저했고 내 불행도 내가 꾸며 낸 것이 아닐까 의심해 보기도 했습니다. 그처럼 내 불행의 원인은 미묘했고, 알리사는 그토록 교묘하게 시치미를 떼고 있었습니다.

그런데 나는 무엇을 한탄하고 있었던 것일까? 알리사는 그 어느 때보다도 나에게 다정하게 대해 주었습니다. 그녀가 그토록 친절하고 상냥한 것은 전에 없던 일이었습니다. 그래서 처음에는 나도 깜박 속아 넘어갔습니다.

전과 달리 납작하게 졸라맨 머리 모양으로 인해 표정까지 달라질 정도로 그녀의 얼굴이 딱딱해 보였다는 것이 무슨 상관이 있었을까요? 거칠고 보기 흉한 천으로 만든 음침한 빛깔의 어울리지 않는 블라우스가 알리사의 흐르는 듯한 몸의 곡선을 손상시켰기로 그것이 무슨 상관이었으랴!

그것쯤은 얼마든지 고칠 수 있는 일이었습니다. 나는 어리석게도 내 일이라도 당장 자기 스스로, 혹은 내가 부탁한다면 고치리라고 생각했습니다.

나는 그보다도 전에는 좀처럼 그런 적이 없었던 그녀의 친절하고 상냥한 보살핌이 서글펐습니다. 나는 거기에서 애정의 충동보다는 오히려 결심을, 아아 말하기조차 두려운 일이지만 애정에서 오는 것보다는 오히려 예의를 보게 되지나 않을까 두려웠던 것입니다.

저녁때 응접실에 들어서면서 나는 피아노가 없어진 사실을 알고 깜짝 놀랐습니다.

내가 실망한 듯이 외치는 소리를 듣고 알리사는,

"수리하러 보냈어."

하고 아주 태연한 목소리로 대답했습니다.

"그것 보렴. 내가 몇 번이나 말하지 않았니?"

외삼촌이 알리사를 나무랐습니다.

"기왕에 지금까지 참아 왔으니 제롬이 떠난 뒤에 고치러 보냈으면 좀 좋겠니? 네가 서두른 탓에 커다란 즐거움을 하나 잃었구나."

"하지만, 아버지."

하고 빨개진 얼굴을 옆으로 돌리며 알리사가 말했습니다.

"요새는 너무나 빈 소리만 나서 제롬 역시 치지 못했을 거예요."

"네가 치는 것을 들었을 땐 고장난 것 같지 않던데 그러는구나."

알리사는 잠시 동안 그늘진 쪽으로 몸을 기울인 채 안락 의자의 덮개 치수를 재는 데 몰두하는 듯 말이 없다가, 이윽고 방에서 나가더니 한참 만에야 외삼촌이 저녁마다 드시는 약을 챙겨서는 쟁반에 받쳐 들고

들어왔습니다.

다음 날에도 알리사는 머리 모양이나 옷차림을 바꾸지 않았습니다.
집 앞에 내놓은 벤치에 앉아 있는 외삼촌 곁에서 전날 저녁부터 손에서
떼지 않던, 바느질이라기보다는 꿰매는 일을 계속하고 있었습니다. 그
녀는 낡은 양말이 가득 든 바구니를 옆에 놓고 그 속에서 줄곧 일거리
를 꺼내는 것이었습니다.

며칠 뒤에는 그것이 냅킨이나 홑이불 따위로 바뀌었습니다. 이러한
일에 그녀는 완전히 몰두해 있는 것 같았고, 이로 인해 입술은 표정을
잃었고 눈에도 빛이 없었습니다.

"알리사!"

어느 날 저녁, 나는 알리사의 얼굴이 너무나 변해 버린 것을 보고 놀

라 소리쳤습니다. 아름다웠던 그녀의 옛날 모습을 찾아보기가 힘들 정
도였습니다. 내가 한참 동안을 뚫어지게 쳐다보았으나, 그녀는 내 눈길
을 느끼지 못하는 것 같았습니다.

"왜 그래?"
하고 알리사가 고개를 들며 말했습니다.

"내 말을 듣고 있는지 알아보고 싶었어. 너는 내가 여기 있는지 알고
있기나 한 거니?"

"물론 알고 있어. 하지만 여간 조심하지 않으면 꿰매지 못하거든."

"그러면 바느질하는 동안, 뭔가 책이라도 읽어 줄까?"

"잘 들을 수 없을 것 같아."

"왜 그렇게 힘든 일을 하지?"

"누군가는 해야 할 일이야."

"이런 일을 도와주는 여자들이 많잖아? 돈을 아끼려고 이런 보람 없
는 일을 하는 건 아니겠지?"

그러자 알리사는 대뜸, 이 일이 다른 어떤 일보다 재미있으며, 벌써
오래 전부터 다른 일은 하고 있지 않다고 말하는 것이었습니다. 이렇게
말하면서도 그녀는 줄곧 미소를 띠고 있었습니다.

알리사의 목소리가 이처럼 부드러웠던 적은 없었음에도 나는 한없이
서글퍼졌습니다. 이 때 그녀의 표정은 '당연한 이야기를 하고 있는데
왜 그렇게 슬퍼하지?' 라고 말하는 듯싶었습니다. 그리하여 내 마음속의
모든 항의는 입술까지 올라오기도 전에 목구멍에서 막혀 버렸습니다.

그로부터 이틀 뒤, 둘이서 장미꽃을 꺾고 나자 알리사는 그것들을 자
기 방까지 가져다 달라고 말했습니다. 그 순간, 나는 얼마나 희망에 부
풀었는지 모릅니다. 그녀의 말 한마디로 내 상처받은 마음은 금방 치유

될 수 있었습니다.

　나는 전부터 알리사의 방에 들어설 때마다 감격하곤 했습니다. 거기에는 뭔지 모르게 아늑한 고요함이 감돌아 알리사의 모습을 떠오르게 했습니다. 창과 침대 둘레에 친 커튼의 푸른 그늘, 반들반들한 마호가니 가구들, 정돈되고 정결하고 고요한 방 안의 분위기가 그녀의 티없는 순결함과 사색적인 우아함을 말해 주는 듯 했습니다.

　그 날 아침, 알리사의 침대 옆 벽에 내가 전에 이탈리아에서 가져온 커다란 마사치오의 사진 두 개가 걸려 있지 않은 것을 보고 나는 깜짝 놀랐습니다. 어떻게 됐느냐고 물으려는 순간 내 시선은 바로 그 옆, 그녀가 애독하는 책들을 놓아 두는 선반 위로 갔습니다. 이 조그만 책장의 절반은 내가 준 책으로, 또 나머지 절반은 우리가 같이 읽은 책으로 꾸며져 있었습니다. 그런데 나는 그 책들이 모두 없어지고 대신 그녀가 경멸해 마지않던 통속적인 신앙에 관한 소책자들만이 꽂혀 있는 것을 보았습니다. 문득 눈을 들자, 웃고 있는 알리사의 모습이 눈에 들어왔습니다.

　"미안해."

하고 알리사가 말했습니다.

　"네 표정 때문에 웃었어. 내 책장을 보고는 갑자기 인상을 찌푸리는 네 모습이……."

나는 농담할 기분이 아니었습니다.

　"아니, 알리사. 요즘 이런 책을 읽고 있는 거야?"

　"물론이야. 그런데 어째서 그렇게 놀라는 거지?"

　"자양분이 많은 양식에 길들여진 지성이라면 이런 무미건조한 것에는 구역질이 날 것이라 생각했는데……."

　"무슨 소리지?"

하고 알리사가 반문하고는, 이어서 말했습니다.

"최선을 다해 자신의 생각하는 바를 설명하고, 내게 솔직히 이야기해 주는 사람들은 이런 겸허한 영혼을 가진 이들이야. 나는 이런 사람들과 함께 있는 것이 즐거워. 이 사람들은 결코 미사여구의 함정에 빠지지 않으며, 나 또한 이 사람들이 쓴 것을 읽으면서 헛된 찬양은 하지 않고 있어."

"그럼, 이제 이런 것밖에는 읽지 않는 거야?"

"그렇다고 할 수 있지. 몇 달 전부터……. 게다가 이제는 독서할 시간도 별로 없어. 사실은 아주 최근에도 네가 전에 감탄할 만하다고 가르쳐 주던 그 위대한 작가들 중 한 명의 책을 읽으려고 해 보았지만, 성경에 나오는, 제 키를 한 자 늘이고자 애쓴 사나이와 같은 결과밖에는 얻지 못했어."

"도대체 네게 그런 괴상망측한 생각을 일으키게 한 그 '위대한 작가'가 누구야?"

"그 작가가 내게 그런 생각을 일으키게 한 건 아니야. 단지 그의 작품을 읽으면서 그렇게 생각했다는 것이지……. 파스칼이야."

나는 안타까운 몸짓을 했습니다. 그런데도 알리사는 내 몸짓에는 아랑곳하지 않고, 마치 교과서를 암송하듯이 맑고 단조로운 목소리로 이야기했습니다.

"파스칼의 그 같은 호언장담이나 열성에는 놀라지 않을 수 없어. 하지만 그것을 증명할 수 있는 것은 거의 없어. 파스칼의 그 비장한 어조는 신앙에서 오기보다는 오히려 회의에서 오는 게 아닐까 하는 생각이 들어. 완전한 신앙이란 그처럼 눈물을 흘린다거나 목소리를 떠는 법이 없으니까."

'파스칼의 음성이 아름다운 것은 바로 그 떨림과 눈물에 있는 거야.' 라고 나는 반박하고 싶었으나 용기가 없었습니다. 왜냐하면 내가 사랑해 온 알리사의 그 어떠한 것도 지금 이러한 알리사의 말 속에서는 찾을 수 없었기 때문입니다.

나는 당시에 나누었던 우리의 대화를 고치거나 논리적인 것으로 다듬지 않고 그대로 여기에 옮깁니다.

"만일 파스칼이 현세의 생활로부터 먼저 자기의 즐거움을 제거해 버리지 않았더라면,"

하고 알리사는 말을 이었습니다.

"현세의 생활을 저울에 놓고 달아 본다면 아마도……."

"어떻단 말이지?"

하고 나는 그녀의 이상한 말에 놀라서 물었습니다.

"그가 말하는 막연한 행복보다 더 무거울 거야."

"그렇다면 너는 파스칼이 말하는 행복을 믿지 않는 거니?"

"그런건 아무래도 좋아."

하고 그녀는 말을 계속했습니다.

"장사치의 거래와도 같은 온갖 의심을 피하기 위해서는 차라리 그 행복이 불확실한 편이 낫겠어. 하느님을 사모하는 마음으로 덕행에 몸을 바치는 것은 보수를 바라서가 아니라 타고난 고귀한 마음씨 때문이 아니겠니?"

"바로 거기에서 저 파스칼과 같은 고귀한 정신의 피난처인 그윽한 회의주의가 나온 거야."

"회의주의가 아니고, 장세니슴(신앙상 인간의 자유 의지보다 하느님의 은혜를 더 중시하는 사상)이야."

하고 알리사가 미소지으며 말했습니다.

"하지만 그런 게 내게는 필요 없어. 여기 이 불쌍한 사람들은——하고 그녀는 자기 책을 돌아보았습니다——자기들이 장세니스트인지 또는 키에티스트(오직 하느님 품에서 살며, 자기 영혼의 구원 문제까지도 상관 말라는 키에티슴의 신자)인지, 아니면 또 다른 무엇인지 대답하라고 하면 무척 당황해할 거야. 이들은 마치 바람에 흔들리는 풀잎처럼 아무런 악의도 괴로움도, 또 아름다움을 보이려는 마음도 없이 그저 하느님 앞에서 고개를 숙이고 있는 거야. 자기들이 보잘것없는 존재라 생각하면서, 단지 하느님 앞에서 자기들 스스로의 모습을 지워 버림으로써 어떠한 가치를 얻게 되는 것으로 알고 있어."

"알리사!"

하고 나는 소리쳤습니다.

"왜 너는 너의 날개를 뽑아 버리려는 거야?"

알리사의 음성이 너무나 침착하고 자연스러웠기 때문에 내 고함 소리는 그만큼 우스꽝스럽게 과장된 것처럼 들렸습니다.

알리사는 고개를 저으면서 다시금 미소지었습니다.

"이번에 파스칼을 읽고 얻은 것은……."

"그게 대체 뭔데?"

알리사가 말을 중단했기 때문에 내가 물었습니다.

"생명을 구하려고 애쓰는 자는 그것을 잃을 것이라는 예수님의 말씀이야."

알리사는 한층 더 환하게 미소지으며 나를 똑바로 바라보면서 말을 계속했습니다.

"그 밖의 것은 정말로 내겐 이제 이해가 되질 않아. 이 소박한 사람들의 글을 접하다가, 위대한 사람들의 숭고한 정신에 접하게 되면 당장 숨이 가빠져."

나는 어리둥절해져서 대답할 말을 찾지 못했습니다.

"그러면 나는 오늘부터라도 너와 함께 이 설교집과 명상록을 읽어야 하는 거야?"

내가 물었습니다.

"아니, 그렇진 않아!"

그녀는 내 말을 막았습니다.

"네가 이런 걸 읽는 것을 보게 된다면 아마 난 서글퍼질 거야! 너는 좀더 훌륭한 것을 위해 태어난 사람이야. 나는 그렇게 믿고 있어."

알리사는 간단하게, 이처럼 자기와 나의 삶을 분리시키는 말이 나를 얼마나 슬프게 할 것인가 하는 것은 염두에도 두지 않는 듯이 이야기했습니다.

나의 머리는 확확 달아올랐습니다. 나는 좀더 이야기하고 싶었고, 그리고 울고 싶었습니다. 만일 그녀가 내 눈물을 보았더라면 굴복했을지도 모를 일입니다. 그러나 나는 벽난로 위에 팔꿈치를 짚고 얼굴을 두 손으로 감싼 채 아무 말도 하지 않았습니다. 그녀는 내 괴로움을 보지 못했는지 혹은 보고도 못 본 체하는 것인지 계속해서 꽃만 만지고 있었습니다.

이 때 식사 시간을 알리는 종 소리가 들려왔습니다.

"이러다간 점심 시간에 늦겠다."

알리사가 말했습니다.

"어서 가자."

그러고 나서 무슨 장난 이야기나 했던 것처럼,

"이 이야기는 다음에 다시 하자."

하고 덧붙였습니다.

하지만 그 이야기는 거기서 끝이 나 버렸습니다.

알리사와 나는 늘 엇갈렸습니다. 그녀가 나를 일부러 피한 것은 아니지만, 뜻하지 않았던 중요한 일이 훨씬 더 급박하게 닥쳐왔습니다.

나는 내 차례가 돌아오길 기다렸습니다. 그러나 나의 이 차례라는 것은 그 끊임없이 생각나는 집안일이라든가, 꼭 해야 될 곳간 일의 감독이라든가, 소작인들이나 또는 당시 그녀가 열중하고 있던 가난한 사람들에 대한 방문이라든가 하는 따위의 일이 다 끝난 뒤에야 돌아오는 것이었습니다. 내게는 그 나머지 시간, 극히 짧은 시간밖에는 차례가 오지 않았습니다. 나는 언제나 분주한 그녀를 바라볼 뿐이었습니다.

알리사가 잠시나마 시간을 내어 나와 이야기를 하게 될 경우에도 그것은 어설픈 대화에 지나지 않았고, 마치 어린애 장난처럼 겉돌 뿐이었습니다.

알리사는 의미 없는 미소를 지으며 내 곁을 재빨리 지나쳐 갔고, 그럴 때면 나는 어느 때보다도 그녀가 내게서 멀리 떠나가 버린 것 같은 기분이 들었습니다. 뿐만 아니라 그녀의 미소에는 가끔 멸시에 가까운 표정, 어딘가 비꼬는 듯한 표정이 담겨 있는 것 같았고, 또 이렇게 내 욕망을 피하는 데 재미를 느끼고 있는 것처럼 보이기도 했습니다.

이렇게 되면 나는 내가 그녀에게서 무엇을 기대하고 있는지도 모르게 될 뿐 아니라, 무엇을 그녀에게 비난해야 할지도 몰라, 모든 불평과 불만을 나 자신에게로 돌려 버리곤 했습니다.

내가 그처럼 큰 행복을 기대했던 며칠이 이렇게 흘러가 버렸습니다.

나는 하루하루가 흘러가는 것을 그저 멍하니 바라볼 뿐, 날짜를 늘리거나 시간의 흐름을 늦추고 싶다는 마음도 갖지 못할 정도였습니다. 그만큼 나의 고통은 매일매일 커져만 갔습니다.

그러다가 내가 떠나기 이틀 전이었습니다. 그 날은 지난날의 어렴풋한 추억마저 또렷하게 떠오를 듯한 어느 맑은 가을 저녁이었습니다.

알리사가 나를 따라 폐광 근처에 있는 벤치까지 함께 왔을 때, 나는 참다 못해 이렇게 말했습니다.

"어떤 행복을 잃었기에 난 지금 너무도 불행해!"

"하지만 내가 어떻게 할 수 있겠어? 지금 너는 어떤 환영에 대한 사랑을 하고 있는 거야."

알리사가 곧 대답했습니다.

"아니야, 환영이 아니야, 알리사."

"그럼, 상상적인 어떤 인물에 대해서야."

"아아! 난 그런 걸 만들어 내고 있는 게 아니야. 알리사, 너는 정말 내 연인이었어. 나는 지금 예전의 알리사를 원하고 있어. 알리사! 너는 내가 사랑하는 사람이었어. 그 때의 너는 어디로 가 버린 거야?"

알리사는 잠시 동안 말이 없더니, 천천히 꽃 한 송이를 꺾으면서 고개를 숙였습니다.

"제롬, 왜 그전보다 나를 덜 사랑한다고 솔직히 말하지 못하니?"

"왜냐고? 그건 사실이 아니기 때문이야. 그건 정말 사실이 아니기 때문이야."

나는 분노에 차서 소리쳤습니다.

"나는 지금 이 순간보다 더 널 사랑한 적이 없어!"

"지금의 나를 사랑하고……. 그러면서도 옛날의 나를 그리워하고?"

알리사는 억지로 미소지으면서 어깨를 약간 으쓱하더니 말했습니다.

"나는 내 사랑을 과거에다 놓을 수는 없어."

땅이 발 밑에서 꺼지는 듯싶었습니다. 나는 무엇이라도 잡고 매달리고 싶은 심정이었습니다.

"사랑도 모든 다른 것과 함께 흘러가 버리는 거야."

"내 사랑은 죽는 순간까지 영원할 거야."

"아니야. 그것은 차츰 시들 거야. 네가 여전히 사랑하고 있다는 알리사는 이젠 단지 너의 추억 속에 남아 있을 뿐이야. '그녀를 사랑한 적도 있었지' 하고 네가 단순히 추억에 잠길 날이 올 거야."

"너는 마치 내 마음속에 너에 대치될 수 있는 무엇이 있거나, 아니면 내 마음이 이제 더 이상 너를 사랑해서는 안 된다는 투로 말하고 있구나. 네가 나를 사랑했었다는 사실은 다 잊었니? 그렇지 않고서야 나를 괴롭히는 것에 대해 그렇듯 즐거워 보일 수가 있어?"

나는 알리사가 파랗게 질린 입술을 파르르 떠는 것을 보았습니다. 그러더니 거의 알아들을 수 없는 목소리로 이렇게 중얼거렸습니다.

"아니야, 아니야. 내 마음은 변하지 않았어."

"그렇다면 아무것도 변한 게 없잖아?"

하고 나는 그녀의 팔을 잡으며 말했습니다.

하지만 그녀는 단호한 어투로 되물었습니다.

"제롬, 너는 한 마디로 말할 수 있을 텐데, 왜 못하는 거니?"

"무슨 말을 하라는 거야?"

"내가 나이가 많다는 것."

"쓸데없는 소리……."

나는 당장 나 자신 또한 알리사만큼 나이를 더 먹었으며, 두 사람의 나이 차이는 언제나 마찬가지가 아니냐고 항의했습니다. 그러나 알리사는 냉정함을 되찾고 있었습니다.

내게 주어진 유일한 기회는 이렇게 해서 지나가 버렸습니다. 나는 말다툼에 열중해 버림으로써 모든 유리한 상황을 놓치게 됐습니다. 나는 어찌할 바를 몰랐습니다.

나는 이틀 후에 알리사와 나 자신에 대한 불만을 품고, 또 그 때까지 내가 '미덕'이라고 부르던 것에 대한 막연한 증오감과 내 마음을 떠나지 않는 것에 대한 원한을 가슴 가득 안고 퐁그즈마르를 떠났습니다.

그 마지막 만남에서, 나는 내 사랑을 너무 과장했던 나머지 나의 모든 열정을 남김없이 쏟아 버린 것 같았습니다. 내가 항변해 보려했던 알리사의 말 한마디 한마디가 내 항변이 끝난 후에도, 여전히 생생하고 의기양양하게 내 마음속에 남아 있었습니다.

그래! 분명 알리사의 말이 맞을 겁니다. 난 이제까지 그녀의 환영만을 사랑하고 있었던 것입니다. 내가 사랑했었고 아직도 사랑하고 있는 알리사는 이미 존재하지 않았던 것입니다…….

'그래! 우리는 나이를 먹었다! 내 마음을 얼어붙게 한 그녀의 멋없는 변모도 결국은 자연스러운 일에 지나지 않는 것이다. 내가 그녀를 내 상상 속에서 조금씩 높여 갔던 거다! 그렇지만 내가 좋아하던 모든 것으로 그녀를 장식하면서 그녀를 마음속에서 우상화했다고 한들, 그러한 내 노력에서 지금 피로 외에 무엇이 남아 있는가?'

저 혼자 있게 되자마자 알리사는 자기의 수준, 그 평범한 수준으로 다시 내려가 버린 것입니다. 그리고 나 또한 마찬가지인 그러한 수준으로 내려와 있었습니다. 그러나 거기까지 내려가 버리자 나는 사랑할 마음이 나지 않게 되었습니다.

'아아! 나 혼자만의 노력으로 저 높은 곳에 알리사를 올려 놓았건만, 그 곳에 있는 알리사와 함께 있으려던 그 미덕에 대한 헌신적인 노력도 이제는 얼마나 어리석고 터무니없는 것으로 생각되어지는 것인가! 긍지가 조금만 덜했더라도 우리의 사랑은 순탄했을 것이다. 하지만 이제부터는 대상을 잃은 사랑에 집착한들 과연 무슨 의미가 있을까? 그것은 일종의 고집이다. 충실하다는 것과는 거리가 멀다. 지금까지 충실하던 것은 과오에 대한 충실이었다. 차라리 지금까지 잘못 생각

하고 있었다고 인정하는 것이 가장 현명한 일이 아닐까?'

그러던 차에 나는 아테네 학원(고대 그리스의 문화 연구를 위해 프랑스 정부가 아테네에 세웠음)의 추천을 받았고, 별다른 야망도 흥미도 없이 다만 떠나야겠다는 생각에서 달아나기라도 하는 것처럼 곧 입학하기로 결심했습니다.

알리사의 죽음

그러면서도 나는 다시 한 번 알리사를 만났습니다. 그것은 3년 후 여름이 끝날 무렵이었습니다. 그 10개월 전에, 나는 알리사의 편지로 외삼촌이 별세하셨다는 것을 알고 있었습니다. 당시 나는 여행하고 있던 팔레스티나에서 꽤 긴 편지를 부쳤지만 끝내 답장이 없었습니다.

르아브르에 갔던 내가 어떤 구실로 자연스럽게 퐁그즈마르에까지 가게 되었던 것인지 지금은 기억나지 않습니다. 나는 알리사가 그 곳에 있으리라는 것을 알고 있었지만, 그녀가 혼자 있을까 걱정되었습니다. 그만큼 알리사와 단둘이 있게 되는 것이 두려웠습니다.

나는 간다는 연락도 하지 않았습니다. 마음도 정하지 않은 채 무작정 갔습니다.

'알리사를 만나러 들어가 볼 것인가? 아니면 차라리 만나 보려고 애쓸 것이 아니라, 그냥 되돌아가 버릴까? 그래 그렇게 하자. 단지 가로수 길이나 거닐다가 혹시 지금도 가끔 그녀가 와서 앉을지도 모를 벤치에나 앉았다 가자.'

그러는 중에도 나는, 내가 가 버린 후에 내가 다녀갔다는 것을 그녀에게 알리려면 어떤 표시를 남겨야 할 것인가 하는 것을 궁리하고 있었습니다.

그와 같은 생각을 하면서 나는 천천히 걷고 있었습니다. 그녀를 만나지 않기로 결심하자 내 마음을 누르고 있던 쓰라린 슬픔은 이제 감미로운 그리움으로 바뀌었습니다.

나는 벌써 가로수 길에까지 이르렀습니다. 나는 들키지나 않을까 염려되어 농가의 안마당을 구분하고 있는 둑을 따라 걸었습니다. 나는 이 둑의 한 지점에서 정원을 내려다볼 수 있다는 것을 알고 있었습니다.

나는 그 곳으로 올라갔습니다. 낯선 정원사가 오솔길에서 제초 작업을 하고 있다가 어디론가 사라져 갔습니다. 새로 세워진 울타리가 안쪽을 둘러싸고 있었습니다. 내가 지나가는 발자국 소리에 개들이 짖어 댔습니다.

좀더 나가 가로수 길이 끝나는 곳에서 나는 흙담이 있는 오른편으로 돌았습니다. 그리고 이제 막 걸어온 길과 평행한 너도밤나무 숲이 있는 곳을 향해 채소밭의 그 비밀 문 앞을 지나갔습니다. 그 때 나는 갑자기 이 문을 통해 정원으로 들어가 보고 싶은 충동이 솟구쳤습니다.

문은 잠겨 있었습니다. 그러나 안쪽 빗장은 매우 약했기 때문에 나는 어깨로 밀어 부술까 망설이고 있었습니다. 바로 그 때 발소리가 들려왔습니다. 나는 담이 움푹 패인 곳에 몸을 숨겼습니다.

정원에서 나오는 사람이 누구인지 알아볼 수는 없었습니다. 하지만 나는 그 발소리를 듣고 알리사라는 사실을 알아차렸습니다.

그녀는 몇 걸음 앞으로 나오더니 가냘픈 목소리로 불렀습니다.

"제롬이니?"

심하게 고동치던 내 심장이 딱 멎는 듯했습니다. 그리고 막혀 버린 나의 목에서 단 한 마디 말도 나오지 않는 동안 그녀는 좀더 힘을 주어 나를 불렀습니다.

"제롬, 너지?"

그녀가 부르는 소리를 듣자 나는 너무도 벅찬 감동에 못 이겨 나도 모르게 무릎을 꿇었습니다.

나로부터 여전히 대답이 없자 알리사는 몇 걸음 걸어나와 담을 돌아 섰습니다. 그리고 나는 곧 내 몸에 알리사를 느꼈습니다. 그대로 그녀의 얼굴을 보는 것이 두려워, 나는 두 팔로 얼굴을 가리고 있었습니다.

알리사는 잠시 내게로 몸을 굽히고 있었습니다. 그러는 동안 나는 그녀의 가냘픈 두 손에 키스를 퍼부었습니다.

"왜 숨었니?"

그녀는 헤어져 있던 3년간이 불과 며칠에 지나지 않는 것처럼 태연한 얼굴로 말했습니다.

"어떻게 난 줄 알았어?"

"기다리고 있었어."

"날 기다렸다고?"

나는 너무나 놀라서 소리쳤습니다.

내가 여전히 무릎을 꿇고 있는 것을 본 알리사가 말했습니다.

"벤치로 가자."

"나는 너를 다시 한 번 만나게 되리라 믿고 있었어. 사흘 전부터 나는 저녁마다 이 곳에 와서 오늘처럼 너를 불렀어. 왜 대답을 해 주지 않았니?"

"네가 날 보러 오지 않았더라면 나는 널 만나지 않은 채로 그냥 떠나 버렸을 거야."

하고 나는 처음의 기절할 뻔했던 감동을 억누르면서 말했습니다.

"마침 르아브르를 지나던 길이라, 저 가로수 길을 좀 거닐어 보고 정원 주변도 돌아보고 싶었어. 요즘도 네가 와서 앉을 듯싶은 폐광터에 있는 그 벤치에서 잠시 쉬어 가고 싶었어. 그리고……."

"사흘 전부터 저녁마다 이 곳에 와서 내가 무엇을 읽었나 좀 봐."
하고 알리사는 내 말을 막으면서 한 다발의 편지를 내밀었습니다. 그것은 내가 이탈리아에서 보낸 편지들이었습니다.

그 때 나는 처음으로 알리사를 바라보았습니다. 놀라울 정도로 변한 알리사의 모습에 나는 깜짝 놀랐습니다. 야위고 파리해진 그녀의 모습이 내 마음을 아프게 했습니다.

내 팔에 의지하고 있으면서도 그녀는 춥거나 혹은 겁에 질린 듯 내게 바짝 붙어 있었습니다. 아직도 상복을 입고 있으며, 모자 대신 머리에 쓰고 있는 검은 베일 때문에 알리사의 얼굴은 더욱 창백해 보였습니다.

비록 그녀는 얼굴에 미소를 짓고 있었지만 곧 금방이라도 쓰러질 것만 같았습니다.

"요즈음 너 혼자서 퐁그즈마르에 있는 거야?"

내가 물었습니다.

"아니. 로베르와 함께 있어. 3월에는 쥘리에트와 테시에르, 그리고 그들의 세 아이가 와서 한달 동안 있다 갔어."

우리는 벤치에 앉았습니다.

얼마 동안 우리의 대화는 여전히 진부한 소식을 묻는 정도였습니다.

잠시 후 알리사는 내가 하는 일이 어떤 일이냐고 물었습니다. 나는 별로 내키지 않는 기분으로 대답해 주었습니다. 이제는 내가 일에 대한 흥미를 상실했다는 것을 그녀가 알아채 주었으면 싶었습니다. 그녀가 전에 나를 실망시켰던 것과 마찬가지로 나도 그녀를 실망시키고 싶었습니다.

뜻하는 대로 되었는지는 모르겠지만, 알리사는 내게 조금도 내색을 하지 않았습니다.

나는 울분과 동시에 사랑이 마음속 가득히 채워져 있었기 때문에 가능한 한 쌀쌀맞게 이야기하려고 애썼습니다. 그러나 때때로 용솟음쳐 올라오는 감동에 목소리가 떨려 나와 속상했습니다.

얼마 전부터 한 조각 구름에 가려져 있던 석양이 우리 맞은편 지평선에 다시 나타났습니다. 그리고 텅 빈 들판을 노을로 가득 채우고, 우리 발 아래 펼쳐진 좁은 골짜기를 느닷없이 붉은빛으로 뒤덮더니 이윽고 사라져 버렸습니다.

나는 황홀감에 빠져서 말없이 앉아 있었습니다. 이 빛나는 황금빛 도취는 언제까지나 나를 휘감고 나의 뼛속까지 스며드는 듯했습니다. 그러자 원망의 마음은 사라져 버리고 마음속에서는 사랑의 속삭임만이 들려왔습니다.

나에게 몸을 기대고 있던 알리사가 일어섰습니다. 그녀가 웃옷 속에서 보드라운 종이에 싼 조그마한 물건을 꺼내 내게 내밀려다가 망설이듯 멈췄습니다. 내가 의아하게 바라보자 그녀가 조심스럽게 입을 열어 말했습니다.

"자, 제롬. 이건 내 자수정 십자가야. 벌써 오래 전부터 네게 주고 싶었기 때문에, 사흘 전부터 저녁마다 이렇게 지니고 있었어."

"이걸 어떻게 하라는 거지?"

내가 퉁명스럽게 물었습니다.

"나에 대한 추억으로 이걸 간직해 줘. 그리고 너의 딸에게 주었으면 좋겠어."

"딸이라니?"

무슨 말인지 깨닫지 못한 채 나는 알리사를 향해 외쳤습니다.

"제발 부탁인데, 조용히 내 말을 잘 들어 줘. 아니, 나를 그런 눈으로 쳐다보지 마. 그렇잖아도 말하기가 힘들어. 하지만 이것만은 꼭 이야

기하고 싶어. 제롬, 너도 언젠가는 결혼할 것 아니니? 제발 내 말을 막지 말아. 부탁이야. 나는 단지 내가 너를 무척 사랑했다는 것을 네가 잊지 않기를 바랄 뿐이야. 그리고……. 벌써 오래 전부터……. 3년 전부터……. 네가 좋아하던 이 조그마한 십자가를 너의 딸이 누가 준 것인지도 모른 채 나의 기념으로 달아 줄 날이 올 것을 생각해 봤어. 그리고 어쩌면 그 애에게……. 내 이름을 붙여 줄 수도 있으리라는 것을 말이야……."

알리사는 목이 메어 말을 멈췄습니다.

나는 분노에 차서 소리쳤습니다.

"왜 그 애에게 네가 직접 주지 않는 거야?"

알리사는 더 이상 말하지 않았습니다. 그녀의 입술은 마치 흐느껴 우는 어린애의 입술처럼 파르르 떨렸습니다. 하지만 울지는 않았습니다.

기이하게 반짝이는 그녀의 눈빛은 천사와 같은 아름다움으로 가득 차
있었습니다.

"알리사! 대체 내가 누구와 결혼을 하겠니? 내가 너밖에 사랑할 수
없다는 것을 너도 잘 알고 있잖아!"

그렇게 말하고 나서, 나는 갑자기 미친 듯이 난폭하게 그녀를 껴안고
는 그녀의 입술에 마구 키스를 퍼부었습니다.

온몸을 내맡긴 듯이 하고, 거의 몸이 뒤로 젖혀진 채인 알리사를 나
는 꼭 껴안고 있었습니다. 나는 그녀의 눈길이 흐려지는 것을 보았습니
다. 그녀는 비길 데 없을 만큼 분명하고 아름다운 목소리로 말했습니다.

"우리 두 사람을 불쌍히 여겨 줘, 제롬. 아, 우리의 사랑을 손상시키
지는 마!"

아마도 그녀는 이렇게 말했을 것입니다. '비열한 짓은 하지 마!' 라고.

이것은 나 자신 스스로 한 말인지도 모릅니다. 나는 갑자기 그녀 앞에 무릎을 꿇고 경건한 마음으로 그녀를 두 팔로 감싸면서 말했습니다.

"그렇게도 나를 사랑했으면서 항상 나를 밀쳐 냈던 것은 무슨 이유에서지? 알리사! 처음에 나는 쥘리에트의 결혼을 기다렸어. 네가 쥘리에트의 행복을 기다리고 있었기 때문이지. 그리고 이제 쥘리에트는 행복해. 이건 전에 네가 나에게 한 이야기야. 그 다음에 너는 계속해서 아버지와 함께 살고 싶은 모양이라고 생각했어. 그런데 이제는 우리 단둘뿐이야. 대체 무엇이 문제야?"

"오오! 지난 일엔 마음 쓰지 않기로 해."

알리사가 중얼거렸습니다.

"이제는 늦어 버렸어……."

"아냐, 아직 늦지 않았어, 알리사!"

"아니야, 제롬. 이제는 늦었어. 사랑을 통해 우리가 사랑 이상의 것을 엿보게 되었을 때 이미 늦은 거야. 네 덕분에 내 꿈은 인간이 누리는 소박한 행복이 넘볼 수 없는 경지에까지 이르렀어. 세상의 어떤 충족감도 그것을 손상시키진 못할 거야. 나는 종종 우리 둘이서 같이 사는 삶은 어떠한 것일까 하고 생각해 봤어. 우리의 사랑이 완전치 못하다는 생각이 든 순간부터 나는……. 우리의 사랑을 지탱해 낼 수가 없을 것 같았어."

"알리사, 우리 두 사람 중 어느 쪽인가가 없는 우리의 삶이 어떠한 것일까에 대해서는 생각해 봤어?"

내가 물었습니다.

"아니! 전혀."

"이젠 알겠지! 나는 지난 3년 동안 더없이 쓰라린 방랑 생활을 계속해 왔어."

어둠이 내리고 있었습니다.

"추워."

하고 그녀는 일어서더니 내가 팔을 다시 잡을 수도 없을 정도로 숄을 바싹 죄어 몸을 감싸면서 말했습니다.

"우리를 불안하게 만들고, 또 우리가 잘못 이해하지나 않았나 궁금해 하던 이 성경 구절을 잊지는 않았겠지. '하느님께서 우리를 위하여 더욱 좋은 것을 예비하셨으나, 그들은 그 약속되었던 것을 얻지 못하였느니라.'"

"넌 아직도 그 말을 믿고 있니?"

알리사는 단호한 태도로 말했습니다.

"믿어야 해!"

나는 안타까운 마음에 소리쳤습니다.

우리는 잠시 동안 말없이 걸었습니다. 알리사가 다시 말했습니다.

"보다 좋은 것, 그것을 상상할 수 있어, 제롬?"

알리사가 갑자기 눈물을 흘리면서 물었습니다. 그러고는 그 말을 되풀이했습니다.

"보다 좋은 것!"

우리는 채소밭의 그 비밀 문 앞에 이르렀습니다.

알리사는 걸음을 멈추고 나를 돌아보며 말했습니다.

"안녕! 이젠 다시 오지 마. 사랑하는 나의 벗, 제롬. 이제부터 시작되는 거야, 보다 좋은 것이⋯⋯."

알리사는 양팔을 뻗쳐 내 어깨 위에 얹고, 형언할 수 없는 사랑에 가득 찬 눈으로 한참 동안 나를 물끄러미 바라보았습니다.

이윽고 문이 닫히고 그 뒤로 빗장 지르는 소리가 들리자, 나는 더 이상 참을 수 없이 복받치는 절망에 사로잡혀 문에 기댄 채 쓰러졌습니다. 그리고 캄캄한 어둠 속에서 오랫동안 흐느꼈습니다.

　'그러나 그녀를 붙잡았더라면, 그 문을 밀치고 들어갔더라면, 어떻게 든지 해서──하긴 내가 못 들어가도록 잠겨 있지도 않았겠지만──집 안으로 들어갔더라면. 하지만 아니다. 지금에 와서 이 모든 과거를 훑어보아도……. 아니다.'

　그것은 내게는 불가능한 일이었습니다. 지금 나의 심정을 모르는 사람은 그 때의 내 심정도 모를 것입니다.

　나는 걷잡을 수 없는 불안에 사로잡혀 며칠 뒤 쥘리에트에게 편지를 썼습니다.

　내가 퐁그즈마르에 갔던 일과, 알리사의 창백하고 여윈 모습에 놀랐다는 것 등을 썼습니다. 알리사의 건강에 주의해 달라는 부탁과 알리사에게서는 이제 편지를 기대할 수 없게 되었으니, 그녀 대신 가끔 소식이나 전해 달라고 부탁했습니다.

　그 후 한 달도 채 못 되어 나는 쥘리에트로부터 다음과 같은 편지를 받았습니다.

　　그리운 제롬,
　　너무나도 슬픈 소식을 전하게 되었어.
　　우리의 가엾은 알리사는 이미 이 세상에 있지 않아……. 아아! 오빠가 편지 속에서 보여 주던 걱정들은 다 근거가 있는 것들이었어. 몇 달 전부터 알리사는 확실한 병 증세도 없이 점점 쇠약해져 갔어. 그래서 내 애원에 못 이겨 르아브르에 있는 A의사의 진찰을 받기로 했어. 그 후 의사 선생님으로부터 편지가 왔는데 걱정할 게 없다는 내용이었어.
　　그런데 오빠가 퐁그즈마르를 다녀간 뒤 사흘 만에 알리사는 갑자기 퐁그즈마르를 떠났어. 나는 그 사실을 로베르의 편지를 받고서야 알았어. 알리사가 내게 편지를 하는 일이란 극히 드물어서 로베르가 아니었던들 그런 일이 있었던 것도 까맣게 모르고 있었을 거야. 알리사를 그대로 떠나게 내버려 둔 것과, 또 파리에까지 따라가지 않은 데 대해 나는 로베르를 호되게 나무랐어. 그 뒤에는 알리사의 주소조차 모르게 되었어. 알리사를 볼 수도, 편지도 쓸 수 없었으니 내 마음이 어땠겠어?

며칠 뒤에 로베르가 파리에 갔지만 아무것도 알아 내지 못했어. 로베르는 어찌나 게으른지 그의 성의를 의심할 지경이었어. 결국 경찰에 알리는 수밖에 없었지.

그리고 마침내 테시에르가 언니가 숨어 있던 작은 요양원을 찾아냈어. 아아! 그러나 이미 때는 늦었어. 나는 언니의 죽음을 알리는 요양원 원장의 편지와 언니를 만나 보지도 못한 테시에르의 전보를 동시에 받았기 때문이야.

알리사는 운명하던 날, 우리가 통지를 받을 수 있도록 한 장의 봉투 위에 우리의 주소를 적어 놓았어. 그리고 다른 한 장의 봉투에는 르아브르의 우리 공증인에게 보낸 유언장의 사본이 들어 있었어. 그 편지의 한 구절은 오빠에 관한 것이었어. 가까운 시일 내로 알려 줄게.

그저께 치른 장례식에는 테시에르와 로베르가 참석했어. 그리고 요양원의 환자 몇 사람이 꼭 장례식에 참석하겠다고 묘지까지 따라 나섰대. 애석하게도 나는 다섯 번째 아이의 출산이 임박해져서 장례식에 참석하지 못했어.

알리사의 죽음이 오빠를 얼마나 슬프게 할 것인지를 잘 알고 있어. 편지를 쓰는 내 마음도 찢어질 듯 아파. 이틀 전부터는 자리에서 일어나지도 못해 이 편지도 겨우 쓰고 있는 거야.

　그러나 오직 우리 두 사람만이 알고 있는 알리사에 대한 이야기를, 테시에르나 로베르에게조차도 맡기고 싶지는 않았어. 이제는 나도 제법 나이가 든 가정 주부가 됐고, 쌓이고 쌓인 과거도 모두 불살라 버렸으니, 오빠를 다시 한 번 만나고 싶어해도 상관 없겠지.

　언제든지 볼일이 있거나 혹은 마음이 내켜서 님에 오게 되거든, 에그비브에 한번 놀러 와 줘. 테시에르도 오빠를 만나게 되면 무척 기뻐할 것이고, 우리 둘이 알리사 이야기도 할 수 있겠지. 그럼 안녕, 오빠.

　그 며칠 뒤, 나는 알리사가 퐁그즈마르의 집을 로베르에게 남겨 주었으나, 자기 방에 있던 모든 물건과 몇 개의 가구만은 쥘리에트에게 보내도록 부탁했다는 사실을 알았습니다. 나는 알리사가 내 이름을 적어 봉인한 봉투를 받게 되었습니다.

　나는 알리사가 내가 마지막으로 그녀를 방문했을 때 내가 받기를 거절했던 그 조그마한 자수정 십자가를 자기 목에 걸어 달라고 부탁했다는 것도, 그 부탁이 이루어졌음도 테시에르를 통해 알게 되었습니다.

　공증인으로부터 내게 보내져 온 봉함된 봉투에는 알리사의 일기가 들어 있었습니다. 그 중 여러 부분을 나는 여기에 옮깁니다.

알리사의 일기

　쥘리에트의 집 에그비브에서 그저께 르아브르를 출발, 어제 님에 도착했다. 나의 첫 여행! 집안일에서 벗어나 홀가분한 기분 속에서 오늘

188×년 5월 23일, 스물다섯 살이 되는 생일을 맞아 나는 일기를 쓰기 시작한다. 특별히 어떤 즐거움을 바라고 쓰는 것이 아니라 그저 벗삼아 보려는 생각에서이다.

난생 처음으로 나는 낯선 곳, 아직 아무런 인연도 맺지 못한 고장에 와 있다. 이 고장이 내게 들려주는 것은 노르망디나 퐁그즈마르에서 내가 늘 듣던 것과 다름이 없다. 왜냐하면 하느님은 어디에서나 다름이 없으시니까. 하지만 이 남부 지방의 사람들은 내가 아직 들어보지 못한 언어를 쓰고 있고, 나는 놀라움으로 그것을 듣고 있다.

5월 24일

쥘리에트는 내 곁의 긴 의자에서 졸고 있다. 쥘리에트 가족이 살고 있는 이 집은 이탈리아식으로 지어진 것으로, 정원과 통하는 모래 깔린 안마당과 같은 높이에 위치한 갤러리가 이 집에 매력을 주고 있다. 갤러리의 문은 활짝 열려 있다.

쥘리에트는 여전히 졸고 있다. 갤러리 안의 소파에 앉아 있으면, 여러 가지 색깔의 집오리들이 뛰놀고 두 마리의 백조가 헤엄치고 있는 연못까지 펼쳐 있는 잔디밭이 바라다보인다.

여름에도 마르는 일이 없다는 시냇물은 이 집의 연못에 물을 넘치게 만든 다음, 야생의 덤불로 변해 가는 정원을 가로질러 흐르다가, 메말라 있는 벌판과 포도밭 사이를 굽이치다가 마침내 완전히 시야에서 사라져 버린다.

…… 어제 에두아르 테시에르는 내가 쥘리에트와 같이 있는 동안에 아버지를 정원, 농장, 지하실, 창고, 포도밭 등으로 안내해 드렸다.

나는 오늘 아침 일찍 혼자서 이곳 저곳을 살피며 산책했다.

이름 모를 수많은 꽃과 나무와 풀, 나는 집으로 돌아와서 그 이름을 가르쳐 달라고 하기 위해 하나하나 잔가지를 꺾어 모았다.

제롬이 보르게즈(로마에 있는 박물관의 하나)나 도리아 팡필리(제노아의 자연 박물관) 별장에서 보았다던 푸른 떡갈나무가 이 속에 끼어 있음을 발견했다. 우리가 사는 프랑스 북부 지방의 나무와 같은 종류이긴 하지만 그 모습은 전혀 다르다.

공원이 거의 끝나는 곳에서 떡갈나무들은 좁고도 신비로운 빈터를 둘러싼 채, 감촉이 푹신푹신한 잔디 위에 늘어져 요정들의 합창을 권유하고 있었다. 공기는 수정처럼 맑았고, 불가사의한 침묵이 감돌고 있었다.

이 때 갑자기 새의 노랫소리가 들려왔다. 그 소리는 바로 나의 곁에서 들려왔고 또 너무나 감동적이었고 맑았기 때문에 불현듯 자연 전체가 그 노래를 기다리고 있었던 것 같은 생각이 들었다. 나의 심장이 세차게 두근거렸다. 나는 잠시 나무에 기대 서 있다가 아직 아무도 일어나기 전에 집으로 돌아왔다.

5월 26일

제롬에게서는 여전히 소식이 없다. 르아브르로 편지를 했으면 이리로 다시 발송되었을 텐데……. 나의 불안한 마음을 토로할 수 있는 대상은 바로 이 일기장뿐이다.

어제는 산책을 했고 사흘 전부터는 기도를 드리고 있지만 나의 불안은 가실 길이 없다. 오늘 다른 것은 쓰지 못하겠다.

에그비브에 온 이래로 내가 느끼고 있는 이 이상한 우울함은 아마도 다른 데 원인이 있는 것 같다.

나는 이 우울함을 너무도 가슴 깊이 느끼고 있기 때문에 벌써 오래 전부터 내게 뿌리박혀 있었던 것 같고, 그 동안 내가 느껴 왔던 기쁨도 실은 이 우울감을 감싸고 있었던 것에 지나지 않는다는 생각이 든다.

5월 27일

왜 나는 자신을 속이는 것일까? 내가 쥘리에트의 행복을 기뻐하는 것은 다만 이론일 뿐이다. 내가 그처럼 바라던 그 애의 행복, 내 행복까지도 희생해 주려던 그 행복이 힘들이지 않고 얻어졌다는 것, 그 애와 내가 상상했던 행복과는 너무나도 다르다는 것, 나는 그것에 괴로워하고 있다.

얼마나 복잡한 기분인가! 그렇다……. 내 마음에 무서운 에고이즘이 도사리고 있다. 그래서 쥘리에트가 자신의 행복을 내 희생과는 다른 곳에서 찾아 냈다는 것, 그 애가 행복해지기 위해 내 희생을 그다지 필요로 하지 않는다는 사실에 나의 에고이즘이 분개하고 있는 것이 내겐 뚜렷이 보인다.

그리고 지금, 제롬의 침묵이 얼마나 나를 불안하게 하고 있는가를 절실하게 느끼면서, 쥘리에트를 위한 나의 희생이 정말 내 가슴속에서 이루어졌던 것인지를 나 자신에게 물어 본다.

하느님께서 이제 내게 그러한 희생을 요구하지 않으시는 데 대해 나는 굴욕감을 느낀다. 정말로 내게는 희생을 감수할 만한 능력이 없었던 것일까?

5월 28일

자신의 슬픔을 이렇게 분석하는 것은 얼마나 위험한 일인가! 나는 벌써 이 일기장에 매달리고 있다. 이미 내 마음속에서 제거되었다고 생각했던 간사한 마음이 여기서 다시 그 날개를 펴는 것일까? 아니다. 이 일기는 내 영혼이 그 앞에서 좋게 꾸미려 드는, 그래서 스스로에게 만족을 주는 거울이 되어서는 안 된다!

내가 이 일기를 쓰는 것은 처음 생각했던 것처럼 심심풀이로써가 아

니다. 슬픔 때문인 것이다. 슬픔이란 내가 오랫동안 모르고 지내 온, 이제는 증오하고 영혼으로부터 떨쳐 버리고 싶은 죄의 상태이다. 이 일기는 내 마음속에 다시 행복이 깃들도록 나를 도와야 한다.

슬픔이란 하나의 복잡한 얽힘이다. 나는 이제까지 한번도 나의 행복을 분석해 보려고 하지 않았었다.

퐁그즈마르에서도 나는 역시 고독했다. 지금보다 더 고독했었다. 그런데 어째서 그것이 느껴지지 않았을까?

제롬이 이탈리아에서 편지를 했을 때, 그가 나 없이도 생활해 가는 것, 나 없이도 생활했던 것을 솔직하게 받아들였다. 마음으로나마 그를 따라다녔고 그의 기쁨을 나 자신의 기쁨으로 삼고 있었다.

그런데 지금 나는 나도 모르게 제롬의 이름을 부르고 있다. 그가 없이는 내가 보는 모든 세계가 고통스럽게 느껴질 뿐이다.

6월 10일

시작한 지 얼마 되지도 않아서 이 일기를 오랫동안 중단했다.

귀여운 리즈의 탄생, 산후의 쥘리에트를 돌보면서 지샌 긴 밤들, 제롬에게라면 쓸 수 있었던 모든 것을, 이 일기에는 쓰고 싶은 아무런 흥미를 못 느낀다.

그 많은 여성들에게서 보이는 공통적인 그 견딜 수 없는 수다, 너무 많이 써서 넋두리가 되는 상황을 피하고 싶다. 나는 이 일기를 자기 완성을 위한 하나의 도구로 삼고 싶다.

이 뒤부터는 책을 읽다가 적어 둔 메모라든가, 책에서 베낀 구절 등이 몇 페이지 계속되었습니다. 그리고 일기는 또다시 퐁그즈마르에서 계속 이어졌습니다.

7월 16일

쥘리에트는 행복하다. 그 애 자신이 그렇게 이야기하고 있고 또 그렇게 보인다. 나는 그것을 의심할 권리도 이유도 없다. 그런데 지금 쥘리에트의 곁에서 느끼는 이 불쾌한 기분은 어디에서 오는 것일까?

아마도 그것은 그녀의 행복이 너무나 현실적이고, 너무나 쉽사리 얻어졌고, 게다가 완전히 자로 잰 듯하게 얻어졌다는 느낌에서 오는 것이 아닐까……. 내게는 쥘리에트의 쉽게 얻은 행복이 그녀의 영혼을 조이고 질식시킬 듯이 보인다.

그리고 지금 나는 내가 바라는 것이 행복 그 자체인지, 혹은 행복에 이르기까지의 과정인지 스스로 묻고 있다. 오오, 주여! 제가 너무 쉽게 도달할 수 있는 행복을 제게 주지 마옵소서! 제가 당신에게 이를 때까지 제 행복을 미루고 연기할 수 있도록 가르쳐 주시옵소서.

이 뒤부터는 여러 장이 뜯겨져 있었습니다. 아마도 르아브르에서의 우리의 가슴 쓰라린 재회에 관한 대목이었을 것입니다.

알리사의 일기는 그 다음 해에 다시 시작되었습니다. 날짜는 적혀 있지 않으나 틀림없이 내가 퐁그즈마르에 머물러 있을 때에 쓴 것 같았습니다.

때때로 제롬의 이야기를 듣고 있으면, 나는 생각하고 있는 나 자신을 바라보고 있다는 착각이 든다. 그는 나에게 나 자신을 설명해 주고 또 밝혀 준다. 제롬 없이 내가 존재할 수 있을까? 그가 있기 때문에 나는 존재하는 것이다.

제롬에 대한 나의 느낌이 과연 남들이 사랑이라고 부르는 그것일까 하고 나는 이따금 생각해 본다. 세상 사람들이 일반적으로 말하고 있는 사랑이란 것과 내가 그리는 사랑은 너무나 다르다. 나는 아무 말 없이 나 자신조차 그것을 깨닫지 못한 채 그를 사랑하고 싶다.

그 없이 살아야 한다면 내게는 어떠한 것도 기쁨이 되지 못한다. 내가 행하는 모든 미덕도 오직 그의 마음에 들기 위해서이다. 그런데도 그의 곁에 있으면 그 미덕이 흔들리는 걸 느낀다.

나는 피아노 연습을 좋아한다. 매일 조금씩 발전하는 듯이 생각되기 때문이다.

이것은 또한 내가 외국어로 된 책을 읽을 때 맛보는 즐거움과 비슷하다. 그렇다고 해서 외국어가 더 좋다든가 내가 좋아하는 몇몇 작가들이 외국 작가들만 못하다는 것은 아니다. 단지 그 뜻과 감정이 이해하기가 어렵다는 것과, 그 어려움을 극복해 나가며 차츰 보다 더 잘 이해해 나가는 데서 오는 무의식적인 자만심이 영혼의 만족감을 더해 주기 때문이다. 그러한 만족은 내게 없어서는 안 될 것이라고 생각한다.

아무리 행복한 것일지라도 나는 발전이 없는 상태를 바라는 일은 할수가 없다. 신성한 기쁨이란 하느님 안에서의 융합이 아니라 언제까지나 끊임없이 하느님에게로 가까이 가는 과정이라고 생각한다. 나는 발전이 없는 기쁨은 경멸한다고 감히 말하고 싶다.

오늘 아침, 제롬과 나는 가로수가 있는 길가의 벤치에 앉아 있었다. 우리는 아무 말도 하지 않았고 또 말할 필요도 못 느꼈다.

별안간 제롬이 나에게 내세를 믿느냐고 물었다.

"물론이야, 제롬."

하고 나는 소리쳤다.

"그것은 내게 희망 이상의 것이야. 확신이야."

그러나 그렇게 말하고 나니, 갑자기 나는 내 신앙이 어쩐지 공허하다는 생각이 들었다.

"그런데,"

하고 제롬이 잠시 말을 중단하더니 이렇게 물었다.

"만약 신앙이 없었다면 넌 지금과 다르게 행동할까?"

"그런 걸 내가 어떻게 알 수 있겠니?"

나는 대답했고 이렇게 덧붙여 말해 주었다.

"너 역시 열렬한 신앙에 의해 움직이게 된 지금, 싫어도 어쩔 수 없이 다르게 행동할 수는 없을 거야. 그리고 만일 달라진다면 나는 너를 사랑할 수 없어."

그렇지 않아, 제롬. 우리가 덕을 행하는 것은 미래에 보상받기 위해서가 아니야. 우리의 사랑이 찾고 있는 것은 보상이 아니야. 고귀하게 태어난 영혼에게는 스스로의 고행에 대한 보상을 생각한다는 것은 모욕이야. 이러한 영혼에 대해서 미덕이란 장식품이 아니야. 그것은 이러한 영혼이 지니는 아름다움이야.

아버지의 건강이 다시 나빠졌다. 제발 대단한 병이 아니기를 바라지만 사흘 전부터 우유로만 연명을 하고 계신다.

어제 저녁, 제롬이 자기 방으로 올라간 후에 나와 함께 늦도록 앉아 계시던 아버지가 잠시 방을 나가셨다.

나는 긴 의자에 누웠다. 내가 소파에 눕는 일은 좀처럼 없었는데, 그때는 왜 그랬는지 나 자신도 모르겠다. 나는 비죽이 나와 불빛에 드러나 있는 두 발끝을 아무 생각 없이 바라보고 있었다.

아버지가 들어오시더니 문 앞에 서 계신 채로, 미소를 짓는 것 같으면서도 슬퍼하는 듯한 이상한 표정으로 나를 뚫어지게 바라보셨다.

나는 왠지 당황스러워져 몸을 일으켰다.

그러자 아버지는 손짓을 하시며 말씀하셨다.

"이리 와 내 옆에 앉아라."

그리고 밤이 매우 깊었는데도, 어머니가 집을 나가신 이래 처음으로 나에게 어머니에 관한 이야기를 하기 시작하셨다.

어떻게 해서 어머니와 결혼하게 되었는지, 또 얼마나 어머니를 사랑하셨는지, 또 처음엔 어머니가 아버지에게 어떻게 대하셨는지 하는 것 등을 들려주셨다.

"아버지!"

하고 나는 마침내 입을 열었다.

"왜 오늘 밤에 그런 말씀을 하세요? 하필 오늘 밤에……."

"그건 방금 응접실로 들어서면서 소파 위에 누워 있는 너를 보았을 때, 잠깐 동안이지만 네 엄마를 보는 것 같았기 때문이야."

내가 그 때 그렇게 아버지께 캐물었던 또 다른 이유가 있었다. 그날 저녁 제롬이 선 채로 내가 앉아 있는 소파에 기대어 내 머리 위로 몸을 굽히고, 어깨 너머로 내 손에 들려 있는 책을 함께 읽고 있었던 일이 떠올랐기 때문이다.

나는 제롬의 모습은 볼 수 없었지만 그의 숨결을 느꼈고 그의 몸의 온기와 떨림도 느끼고 있었다. 나는 여전히 책을 읽는 척하고 있었지만 이미 아무것도 머리에 들어오질 않았다. 글자가 뒤엉켜 행의 구별도 할 수 없을 지경이었다.

너무도 이상한 마음의 동요에 사로잡혔기 때문에 아직 기력이 남아 있을 때 서둘러 일어섰다. 다행히 제롬이 눈치채지 못하는 사이에 나는 잠시 밖으로 나올 수 있었다.

하지만 제롬이 자기 방으로 올라간 후 응접실에서 홀로 그 소파에 누워 있을 때, 나는 정말 어머니 생각을 하고 있었던 것이다.

그날 밤, 나는 불안하고 답답하고 나 자신이 비참하게 여겨졌을 뿐 아니라, 회한처럼 가슴속에 솟구치는 지난날의 추억에 쫓겨 잠을 이룰 수가 없었다.

'주여, 악의 모습을 띤 모든 것이 얼마나 두려운 것인가를 저에게 가르쳐 주시옵소서.'

가엾은 제롬! 때로는 그가 약간의 몸짓을 하기만 하면 되리라는 것, 그리고 나 역시도 나도 모르게 그것을 기다리고 있었다는 것을 알기만 한다면…….

어렸을 때부터 나는 벌써 제롬을 위해 아름다워지고 싶었다. 지금 와서 생각해 보면, 전에 내가 완전한 미덕을 지향했던 것도 오직 제롬을 위해서였다는 생각이 든다. 그런데 그가 내 가까이 있으면 이 완전한 미덕에 도달할 수 없었다. 오오, 주여! 바로 이것이 당신의 모든 가르침 중에서 무엇보다도 저의 영혼을 당황스럽게 만드는 것입니다.

미덕과 사랑이 한데 어울릴 수 있는 영혼을 지닐 수 있다면 얼마나 행복할까! 가끔씩 나는 사랑한다는 것, 힘껏 더욱더 사랑하는 것 외에 다른 미덕이라는 것이 있을 수 있을까? 하고 의심해 본다.

그렇지만 아아! 때로는 미덕이란 것이 사랑에 대한 저항으로밖에 생각되지 않는다. 그럴 수가 있을까? 내 마음의 가장 자연스러운 흐름을 감히 미덕이라 부를 수 있을까? 오오, 매혹적인 궤변! 허울좋은 권유! 종잡을 수 없는 행복의 환영이여!

오늘 아침 책을 읽다가 다음과 같은 구절을 발견했다.

'인생의 행로에는 때로는 금지되어 있기는 하지만 너무도 소중한 쾌

락과 정다운 유혹이 있어 그것이 허용되었으면 하고 바라는 것이 자연스러울 때가 있다. 이처럼 큰 매력은 덕행으로써 커다란 용기와 신념이 아니면 도저히 물리칠 수가 없는 것이다.'

대체 나는 왜 이러한 자기 변명을 이 구절에서 찾아 냈던가? 그것은 사랑의 매력보다도 더욱 세차고 더욱 감미롭게 나를 이끌고 있기 때문일까? 오오! 사랑의 힘으로 우리들 두 사람의 영혼을 동시에 이끌어 갈 수만 있다면!

아아! 슬프게도 나는 지금 그것을 너무나 잘 깨닫고 있다. 하느님과 제롬 사이에는 단지 나라는 장애물이 있을 뿐이라는 것을.

그가 말하는 것처럼 처음에는 나에 대한 사랑으로 인해 그의 마음이 하느님께로 향했다 하더라도, 이제는 나에 대한 그 사랑이 하느님에게로 향하는 그를 가로막고 있는 것이다.

그는 나로 인하여 지체하고, 하느님보다도 오히려 나를 더 사랑하고 있다. 결국 나는 그가 좀더 깊이 미덕 가운데로 나아가지 못하도록 붙들고 있는 우상이 되어 버렸다. 우리 둘 중에 한 사람만이라도 거기에 도달해야 한다.

주여! 저의 연약한 마음으로는 도저히 이 사랑을 극복할 수 없으니, 제발 그가 나를 더 이상 사랑하지 않도록 만들 힘을 제게 주옵소서. 그리하면 저의 선행보다도 무한히 훌륭한 그의 공덕을 당신에게 바칠 것입니다. 그리고 만약 저의 영혼이 그를 잃고 흐느껴 울더라도, 그것은 당신 안에서 다시 그를 되찾기 위함이니…….

오, 하느님! 어느 영혼이 제롬의 영혼보다 당신께 더 합당하겠습니까? 그는 저를 사랑하는 일보다는 좀더 훌륭한 것을 위하여 태어난 사람이 아니옵니까? 그러니 그가 저로 인해 걸음을 멈추게 되면 안 됩니다. 영웅적일 수 있는 모든 것이 행복 속에서는 얼마나 위축되고 있습니까!

5월 3일 월요일

행복은 바로 내 곁에 있으니 마음만 먹는다면……. 손을 내밀기만 하면 잡을 수 있을 텐데……. 오늘 아침 제롬과 이야기하면서 나는 희생을 각오했다.

월요일 저녁

제롬은 내일 떠난다…….

그리운 제롬, 나는 언제나 끝없는 애정으로 너를 사랑하고 있어. 하지만 앞으로는 그런 말을 내 입으론 결코 하지 못할 거야. 내가 내 눈과 입, 영혼에 가하는 속박이 너무도 과중한 것이어서 너와 헤어지는 것은 나에게 있어서는 하나의 해방이며, 또한 쓰디쓴 만족이기도 해.

나는 이성적으로 행동하려고 노력하고 있다. 하지만 막상 행동을 하게 되면 나를 움직이게 하던 이성은 나를 저버리거나 그것이 어리석게 보인다. 그리고 나는 이미 그것을 믿지 않게 되는 것이다…….

나로 하여금 제롬을 피하게 하는 것은 이성인가? 나는 이제 그런 것은 믿지 않는다. 하지만 나는 그 이유도 모르는 채 무작정 그를 피하고 있는 것이다.

주여! 제롬과 제가 손을 맞잡고 당신 앞으로 나아가게 해 주소서. 한 평생을 통해 마치 두 사람의 순례자처럼 때때로 둘 중 한 사람이 '피곤하면 내게 기대' 하고 말하면 다른 한 사람이 '네가 곁에 있는 것을 느끼는 것만으로도 충분해…….' 라고 대답하면서 당신을 향해 나아가도록

해 주옵소서.

아니, 그렇지 않습니다. 주여! 당신이 저희에게 제시해 주시는 길은 좁은 길입니다. 둘이서 나란히 걸어가기에는 너무도 좁은 길입니다.

7월 4일

6주일 이상이나 일기장을 펼치지 않았다. 지난 달에 쓴 것 중 몇 장을 다시 읽으면서 애써 좋은 문장을 쓰려는 어리석고도 그릇된 나의 노력을 보았다. 이러한 나의 노력은 순전히 제롬을 의식해서이다.

그 없이도 혼자서 살아갈 수 있는 힘을 얻기 위해 쓰기 시작한 일기 속에서도 나는 마치 계속해서 그에게 편지라도 쓰고 있는 것 같다. 그래서 문장이 잘 되어 있다고 생각되는 부분은 모두 찢어 버렸다.

또한 제롬에 관한 부분 역시 모두 찢어 버려야 했다. 한 장도 남김없이 모두 뜯어 내야만 했다. 하지만 그럴 수가 없었다. 하지만 나는 이 몇 장을 찢어 버렸다는 데 대해 어느 정도의 긍지를 느꼈다. 내 마음이 이토록 병들지 않았다면 냉소하고 말았을 긍지를…….

나는 참으로 장한 일을 해낸 것 같았고, 그 뜯어 버린 몇 장 속에 무슨 중요한 것이나 있었던 것처럼 느껴졌다.

7월 6일
나는 내 책장으로부터 제롬을 추방해 버려야만 했다.

나는 제롬을 피해 책으로 도망가지만 책 곳곳에서 그를 만난다.

제롬 없이 나 혼자 펴 보는 책 속에서도 그 구절을 읽어 주던 제롬의 목소리가 들려온다. 나는 오직 제롬이 흥미를 느끼는 것만을 좋아한다. 나는 사고방식마저 제롬의 것을 취했기 때문에, 우리 둘의 생각이 같다고 느끼면서 기뻐할 수 있었던 때와 마찬가지로 지금도 그의 생각과 나의 생각을 구별할 수가 없다.

때로는 글을 쓰다가도 제롬의 문체에서 벗어나기 위해 좋지 않은 문장을 쓰려고 노력한다. 그러나 제롬에게서 벗어나고자 하면 할수록 나는 다시 그에게 집중하고 있는 자신을 발견한다.

그래서 얼마 동안은 성경이나 〈그리스도를 본받아〉 외에는 읽지 않기로 하고, 이 일기장에는 읽은 것 중에서 눈에 띄는 구절을 하나씩 적을 작정이다.

이 뒤로는 일종의 '나날의 양식'과도 같은 내용이 계속되어 있어, 7월 1일부터 시작되는 매일매일 날짜에 성서의 한 구절씩이 쓰여 있었습니다. 여기에는 주석이 붙은 부분만을 옮겨 쓰기로 했습니다.

7월 20일

'가지고 있는 것을 모두 팔아 가난한 사람에게 나누어 주라.'

나는 제롬만을 생각하는 나의 마음을 가난한 사람들에게 주어야겠다고 생각한다. 그리고 그렇게 하는 것이 제롬에게도 그렇게 하기를 가르쳐 주는 것이 아닐까? 주여, 제게 그러한 용기를 주소서.

8월 10일

주여, 제가 당신을 향하여 어린아이와 같은 신앙심의 충동과 천사와 같은 초인간적인 목소리로 외칠 때……. 이 모든 것은 제 몸으로부터 나오는 것이 아니라 당신에게서 오는 것임을 알게 되옵니다. 그런데도 당신은 왜 어디서나 당신과 저 사이에 제롬의 모습을 두십니까?

8월 14일

이 일을 완수하는 데는 앞으로 두 달밖에 남지 않았다…….

오오, 주여! 저를 도와주소서.

8월 20일

나는 분명히 느끼고 있다. 아직도 내 마음속에서 희생이 이루어지지 않고 있다는 것을 내 슬픔 속에서 느끼고 있다. 주여, 이 기쁨, 지금까지는 오직 제롬만이 내게 가르쳐 주던 이 기쁨을 당신에게서 얻을 수 있도록 해 주소서.

8월 28일

나는 얼마나 속되고 볼품없는 미덕에 이르렀는가! 스스로 나 자신에 대해 지나친 요구를 하고 있는 것일까? 이제는 더 이상 그것으로 고통받는 것은 그만두기로 하자.

언제나 하느님께 힘을 의지하는 것은 얼마나 비겁한 일인가! 이제 내 기도는 모두가 하소연에 지나지 않는다.

9월 16일 밤 10시

제롬과 다시 만났다. 지금 나와 한 지붕 밑에 있다. 그의 방 창에서 흘러나오는 불빛이 잔디밭에 비치고 있다.

내가 일기를 쓰고 있는 지금 이 순간에도 그는 잠들지 않고 있다. 아마도 나를 생각하고 있으리라.

제롬은 전혀 변하지 않았다. 그도 그렇게 말하고 있으며, 나도 그렇게 느낀다. 그의 사랑을 포기할 수 있도록, 이미 결심한 대로의 나를 그에게 그대로 보일 수 있을까?

9월 24일

오오, 가슴 밑바닥은 꺼질 듯하면서도 끝내 무관심과 냉담을 가장했던 잔인한 대화……. 지금까지는 제롬을 피한다는 것만으로 나는 만족하고 있었다.

하지만 오늘 아침 나는 하느님께서 내게 이겨 낼 힘을 주시리라 생각하고, 싸움을 피하는 것은 비겁한 것이라고 생각했다. 그래서 제롬과 잔인한 대화를 나누었다.

나는 과연 승리했는가? 제롬은 전보다 나를 덜 사랑하게 되었는가……?

아아! 이것은 내가 바라는 동시에 두려워하는 일이다. 나는 지금 이 순간보다 그를 더 사랑한 적이 없다. 하지만 그를 제게서 구하기 위하여 제가 없어져야 하는 것이라면 주여, 뜻대로 하시옵소서!

'저의 마음과 영혼 안으로 들어오셔서 저의 고난을 짊어지시고, 당신

의 수난에서 아직 남아 있는 고통을 제 몸으로 언제까지나 참아 낼 수 있게 하옵소서.'

제롬과 나는 파스칼에 대해서 이야기했다. 나는 그에게 무슨 말을 할 수 있었던가? 그 무슨 부끄럽고도 터무니없는 이야기를 했던가!

그런 말을 하면서 나는 고통스러웠고, 지금은 마치 하느님에 대한 모독인 것처럼 뉘우쳐진다.

첫 번째 일기장은 여기에서 끝나 있었습니다. 일기의 다음 부분은 아마도 찢어 버린 모양이었습니다. 그러고 나서 3년 뒤, 우리가 다시 퐁그즈마르에서 마지막으로 만나기 조금 전부터 이 일기는 다시 계속되었습니다.

그것은 다음과 같은 구절로 시작되었습니다.

9월 17일

주여, 제가 당신을 사랑하기 위해서는 저에게 있어 그가 다시 필요합니다.

9월 20일

주여, 그를 제게 주옵소서. 그러면 저의 마음을 당신께 바치겠습니다.

주여, 한번만 더 그를 만나게 해 주소서.

주여, 저의 마음을 당신께 드리기로 맹세하옵니다. 그러하오니 저의 사랑이 당신에게 청하는 것을 허락해 주시옵소서. 저의 남은 목숨을 당신께 바치겠나이다…….

주여, 저의 이러한 연약한 기도를 용서해 주소서. 하지만 저는 제 입술에서 그의 이름을 떼지 못하겠고 제 마음의 고통도 잊어버리지 못하겠나이다. 주여, 당신께 애원합니다. 제발 이 슬픔 속에 저를 버려 두지 마옵소서.

9월 21일

'너희가 나의 이름으로 나의 아버지께 무엇을 구하든, 나는 그것을 시행하리라.'

성경에 있는 그리스도의 말씀입니다. 하지만 주여, 당신의 이름으로 제가 어떻게 감히…….

그러하오나 비록 제가 기도를 입 밖으로 내지 않는다 하더라도 당신은 제 가슴에서 타오르는 저의 소원을 알아주시리라 믿습니다.

9월 27일

오늘 아침부터는 마음이 매우 안정되어 있다. 어젯밤은 묵상과 기도로 밤을 거의 지새웠다. 그런데 문득 어린 시절에 성령에 대해서 그려 보던 상상과 비슷한 광채가, 찬란한 마음의 평안이, 나를 둘러싸고 나에게 내려오는 것처럼 느껴졌다.

나는 이 기쁨이 신경의 흥분이나 아닐까 두려워 얼른 잠자리에 들었다. 그리고 다행히 이 크나큰 행복감이 사라지기 전에 곧 잠이 들 수 있었다. 그 행복감은 오늘 아침에도 여전히 남아 있다. 나는 이제 머지않아 제롬이 나를 찾아올 것이라 확신하고 있다.

9월 30일

제롬! 내 사랑!

아직도 나는 너를 동생이라고 부르지만, 동생보다도 더욱더 더 사랑하는 너…….

저 너도밤나무 숲에서 내가 너의 이름을 얼마나 소리쳐 불렀는지……!

저녁마다 해질 무렵이 되면 나는 채소밭의 작은 문을 나서서 이미 어둠이 깃든 가로수 길로 내려간다. 갑자기 너의 대답하는 소리가 들리고, 쌓여진 돌담 뒤에서 갑자기 너의 모습이 나타난다 하더라도, 또는 벤치 위에서 나를 기다리고 있는 너의 그림자가 멀리서 보인다 할지라도 내 가슴은 놀라지 않을 거야. 오히려 네 모습이 보이지 않는 데 더 놀랄 거야.

10월 1일

아직 아무 일도 일어나지 않았다.

태양은 비할 데 없이 맑은 하늘에서 저물어 갔다.

나는 기다리고 있다. 오래지 않아 이 벤치 위에 제롬과 나란히 앉게 되리라는 것을 알고 있다. 벌써 그의 목소리를 느낀다. 내 이름을 부르는 그의 목소리를 듣는 것이 좋다.

그는 바로 여기에 앉으리라. 나는 그의 손 위에 내 손을 놓으리라. 그리고 내 이마를 그의 어깨 위에 얹으리라. 그의 곁에서 호흡을 하게 될 것이다.

어제도 나는 다시 읽어 보려고 그가 보낸 편지를 몇 장 가지고 나왔었다. 그러나 내 마음은 너무나 그의 생각으로 가득 차서 편지를 읽을 수가 없었다. 그리고 또 그가 좋아하던 그 자수정 십자가, 지나간 어느 여름 그가 떠나지 않기를 바라는 동안 저녁마다 내가 목에 걸었던 그 자수정 십자가도 몸에 지니고 나왔었다.

이 십자가를 그에게 주고 싶다.

이미 오래 전부터 나는 이런 생각을 꿈꾸고 있었다. 그가 결혼하면 나는 그의 첫딸인 작은 알리사의 대모가 되어 이 십자가를 그 애에게

주리라……. 그런데 왜 나는 여태 그에게 이런 말을 하지 못했을까?

10월 2일

오늘 내 영혼은 마치 하늘에 보금자리를 튼 새처럼 가볍고 즐겁다.

오늘 틀림없이 제롬이 올 것이다. 나는 그것을 느끼고 또 알고 있다. 모든 사람들에게 그 사실을 외치고 싶다. 여기에도 그것을 적어야겠다.

나는 내 기쁨을 숨기고 싶지 않다. 평소에는 그처럼 내게 무관심한 로베르조차도 나의 기쁨을 알아챘다. 그가 묻는 말에 나는 당황했고 또 뭐라고 대답해야 할지 몰랐다. 어떻게 저녁까지 기다릴까?

집 안 어느 곳을 보아도 제롬의 모습이 크게 확대되어 보이며, 사랑의 모든 빛이 내 마음 단 하나의 초점 위에 집중되어 있다.

오오! 기다림이 나를 지치게 한다!

주여, 행복의 그 큰 문을 잠시 동안만이라도 제게 보여 주옵소서!

10월 3일

모든 것이 사라져 버렸다. 아아! 제롬은 마치 그림자처럼 나의 두 팔에서 빠져 나가고 말았다. 바로 여기에, 바로 이 곳에 그가 있었다. 나는 아직도 그를 느끼고 있다. 나는 그를 부르고 있다. 내 손, 내 입술이 어둠 속에서 그를 찾고 있다. 헛되이……

나는 기도할 수도 잠들 수도 없었다. 다시 어두운 정원으로 나갔다.

내 방에서나 집 안 어디서나 나는 무섭기만 하다. 슬픈 마음을 못 이겨 나는 그를 뒤에 남긴 채 돌아와 버린 문까지 다시 갔다. 어리석은 희망을 품고 문을 열어 보았다. 그가 돌아와 있었으면!

나는 불러 보았다. 어둠 속을 더듬어 보았다. 나는 그에게 편지를 쓰기 위해 집으로 돌아왔다.

오오, 그를 잃은 슬픔, 나는 이 슬픔을 지탱할 길이 없다.

대체 무슨 일이 있었던 것일까? 나는 그에게 무슨 이야기를 했던가? 내가 무엇을 했던가? 무슨 필요에 의해서 나는 그의 앞에서 언제나 나의 미덕을 과장하는 것일까? 나의 온 마음이 부정하는 미덕이 무슨 가치가 있는 것일까?

하느님이 나의 입술에서 나오게 하신 말씀을 나는 몰래 배반하고 있었다. 내 마음속에 가득 차 있던 것은 어느 것 하나도 제대로 이야기하지 않았다.

제롬, 제롬!

곁에 있으면 가슴이 터질 것 같고 떨어져 있으면 죽을 것 같은 나의 불쌍한 사랑! 내가 이야기한 것 중에서 내 사랑이 네게 들려주었던 것 외에는 다 잊어 줘.

편지를 찢고, 그리고 다시 쓰고…….

이제 새벽이다. 내 마음처럼 슬프고 눈물에 흠뻑 젖은 잿빛의 새 벽……. 농장에서 일을 시작하는 소리가 들리고 잠들었던 모든 것이 다시 활기를 띠기 시작한다…….

'이제는 일어나라. 때가 왔느니라…….'

성경의 말씀을 떠올렸다. 편지는 부치지 않을 것이다.

10월 5일

사랑을 앗아가 버리신 질투심 많은 하느님, 이제는 저의 마음조차 거두어 가소서. 이제는 어떠한 열정도 이 마음을 저버릴 것이오며, 어느 것 하나 이 마음을 움직이지 못할 것입니다. 그러하오니 아직도 제 마음에 남아 있는 슬픔의 찌꺼기를 이겨 내도록 도와주옵소서.

저의 사랑을 견딜 수 없을 만큼 부추겨 주는 이 집, 이 정원을 떠나, 이제는 당신만을 볼 수 있는 곳으로 달아나고 싶습니다.

제가 가지고 있는 재산을 가난한 사람들을 위해 처분할 수 있도록 도와주옵소서. 제가 쉽사리 팔 수 없는 퐁그즈마르의 이 집만은 로베르에게 주는 것을 허락해 주시옵소서.

유언장을 쓰기는 했지만 필요한 수속 절차는 아무것도 모른다. 그리고 어제 공증인을 만났을 때도 그가 내 결심을 눈치채고 쥘리에트나 로베르에게 알릴까 두려워서 충분히 이야기하지 못했다. 파리에 가서 완전한 결말을 내야겠다.

10월 10일

이 곳에 도착했을 때 너무도 피곤해서 처음 이틀간은 꼼짝 못하고 누워 지냈다.

내가 싫다는데도 굳이 불러서 온 의사는 반드시 수술을 해야 한다고 말했다. 나는 수술하기가 두렵다는 것과 '기운을 좀 회복한 다음에' 하고 싶다는 말로 쉽사리 의사를 납득시킬 수 있었다.

나는 이름과 주소도 숨길 수 있었다. 나를 이 곳에 받아들이고 또 하느님께서 필요하다고 생각하시는 동안은 아무런 곤란이 없도록 나는 이곳 사무실에 충분한 돈을 맡겨 놓았다.

방도 마음에 든다. 깨끗하다는 것만으로도 충분히 벽의 장식이 된다.

나 자신 스스로 기쁨마저 느끼는 데 놀랐다. 나는 이제 더 이상 삶에 바라는 바가 없기 때문이다.

이제는 하느님만으로 만족해야 한다. 하느님의 사랑은 우리의 마음을 완전히 차지하실 때 비로소 기쁨을 주신다…….

성경 외에는 아무 책도 가져오지 않았다.

하지만 오늘은 성서 안에 적혀 있는 말씀보다도 파스칼의 그 열광적인 흐느낌이 더 강하게 내 마음속에서 울린다.

'하느님이 아니라면 그 어떤 것도 나의 기대를 채워 줄 수 없다.'

오오, 경솔한 내 마음이 바랐던 것은 너무나도 인간적인 기쁨이었다.

주여! 당신이 나를 절망 속에 빠뜨린 것은 바로 이 외침을 얻게 하기 위해서였는지요?

10월 12일

주의 나라가 임하시기를! 주여, 저의 마음속에 군림하옵소서. 그리하여 당신만이 나를 다스려 주소서. 이제는 아낌없이 저의 마음을 당신께 바치겠나이다.

나는 아직도 방 안의 모든 것이 잘 정돈되고 머리맡에 벗어 둔 옷이 잘 개어 있지 않으면 잠들 수 없었던 그 옛날의 소녀 시절 그대로이다.

죽을 준비도 그렇게 했으면 좋겠다.

10월 13일

찢어 없애기 전에 다시 한 번 일기를 읽었다.

'자기가 느끼는 괴로움을 털어놓는 것은 위대한 마음을 가진 사람들에겐 옳지 못한 일이다.'

이 일기를 불 속에 던지려는 순간 일종의 경고와도 같은 것이 나를 붙들었다.

이미 이 일기는 내 것이 아닌 것처럼 생각되었다. 이것을 제롬에게서 빼앗을 권리가 내게는 없다는 것, 그리고 이 일기는 단지 그를 위해 썼다는 생각이 들었다. 내가 품었던 걱정이나 근심도 이제 와서는 너무도 어리석은 것으로 생각되어, 거기에 아무런 중요성도 없게 되었다. 또한 제롬이 이것을 읽는다 해도 이것으로 인해 그의 마음이 크게 흔들릴 것 같지도 않다.

주여, 제 자신이 필사적으로 도달하고자 애썼던 그 미덕의 정상에까지 제롬을 밀어 올리고자 미친 듯이 갈망했던 이 마음의 어설픈 표현을, 때때로 제롬이 일기장 속에서 찾아볼 수 있도록 해 주소서.

'주여, 제가 이르지 못한 그 반석 위로 저를 인도해 주소서.'

10월 15일

'기쁨, 기쁨, 기쁨, 기쁨의 눈물……'

인간적인 기쁨과 모든 고통을 초월한 곳에서, 그렇다! 나는 이 찬란한 기쁨을 예감한다. 내가 다다르지 못한 그 반석의 이름이 '행복'이라는 것을 나는 안다. 그 행복에 도달하기 위해서가 아니라면 나의 삶은 헛된 것이라는 것도 나는 잘 알고 있다.

10월 16일

제롬, 나는 네게 완전한 기쁨을 가르쳐 주고 싶어.

오늘 아침 심한 구토로 온몸이 기진맥진해졌다. 그 직후에 너무도 심신이 허약해지는 것 같은 느낌으로, 잠시 동안은 그대로 죽게 되기를 기대하기도 했다. 아니, 그런 것이 아니라 처음엔 온몸에 아주 고요한 평온이 깃들었다. 그리고 심한 고통, 육체와 영혼의 전율이 나를 사로잡았다. 그것은 갑자기 내 삶의 속박이 풀려 버린 명료한 계시와도 같았다. 이 방의 보기 흉하게 헐벗은 벽이 처음으로 눈에 띄는 듯이 생각되었다. 나는 겁이 났다. 지금도 역시 마음을 안정시키고 가라앉히기 위해 이렇게 쓰고 있는 것이다.

오오, 주여! 내 육신의 극심한 고통으로 인해, 당신에 대한 모독의 말을 입에 담음이 없이 종말에 이르도록 해 주옵소서.

나는 다시 일어날 수 있었다. 그리고 어린아이처럼 무릎을 꿇었다.

나는 혼자라는 것을 다시 깨닫기 전에 빨리 죽고 싶다⋯⋯.

추 억

지난 해 나는 쥘리에트를 다시 만났습니다.

알리사의 죽음을 알린 그녀의 마지막 편지를 받은 뒤로 벌써 10년 이상의 세월이 흘렀습니다.

나는 프로방스 지방에 여행을 갔던 길에 잠시 님에 들렀습니다.

소란한 도시 중심지인 프쉐르 거리에 위치한 테시에르 가는 매우 훌륭해 보였습니다. 이미 연락을 했음에도 불구하고 내 마음은 적잖이 설

레었습니다.

하녀의 안내로 응접실에 올라가 있으려니 잠시 후에 쥘리에트가 들어왔습니다. 마치 플랑티에 이모를 보는 듯했습니다. 걸음걸이, 몸가짐, 반가워 어쩔 줄 모르는 태도까지 그대로였습니다.

쥘리에트는 곧 내게 여러 가지를 물어 댔습니다. 나의 대답은 기다리지도 않고, 그간 어떻게 지냈느냐, 파리의 거처는 어떠냐, 무슨 일을 하느냐, 대인 관계는 어떠냐, 남프랑스에는 무슨 일로 왔느냐는 등의 질문을 계속해 댔습니다. 그리고 자기 남편, 어린애들, 로베르, 추수 이야기, 그리고 불경기 등 여러 가지 소식을 들려주었습니다.

나는 로베르가 퐁그즈마르의 집을 팔고 에그비브에 와 산다는 것, 지금은 테시에르와 동업을 하고 있다는 사실도 알게 되었습니다. 로베르가 사업을 도와주는 관계로 테시에르는 여행도 하고 자기 사업상의 판매고를 더욱 확장하는 데 전력할 수도 있다고 했습니다. 또한 로베르는 밭에 남아 여러 가지 계획을 확장하기도 하고 개선하기도 한다고 했습니다.

그러는 동안 나는 불안한 마음으로 과거를 회상시켜 줄 만한 물건이 없나 둘러보았습니다. 나는 응접실의 가구 중에 퐁그즈마르에 있던 가구가 몇 개 끼어 있는 것을 금방 알아보았습니다. 그러나 내 마음속에서 떨고 있는 그 과거를 쥘리에트는 의식하지 못하고 있거나, 아니면 일부러 모르는 척 하고 있는 것 같았습니다.

열 두세 살짜리 남자 아이 둘이 계단에서 놀고 있었습니다.

쥘리에트는 그 애들을 불러 내게 인사를 시켰습니다. 맏딸인 리즈는 제 아버지를 따라 에그비브에 가고 없었고, 산책 나간 열 살짜리 아들은 곧 돌아올 것이라고 했습니다. 알리사의 죽음을 알린 편지에서 곧 낳게 되리라던 아이가 바로 이 아이였습니다.

그 때의 출산은 난산이었으며 그로 인해 쥘리에트는 오랫동안 고생했다고 합니다. 그래서 한동안 아이를 낳지 않다가, 지난 해 마음을 돌이켜 또 딸을 낳았는데, 쥘리에트의 말하는 태도로 미루어 다른 어떤 자식들보다 막내딸을 귀여워하고 있는 것 같았습니다.

"그 애가 바로 옆방에서 자요."

하고 쥘리에트가 말했습니다.

"우리 그 애에게 가 볼래요?"

그래서 내가 따라나서자 쥘리에트가 망설이듯 말했습니다.

"오빠, 감히 편지로는 부탁할 용기가 나지 않았는데……. 이 아이의 대부가 돼 주지 않겠어요?"

"물론이야. 원한다면 기꺼이 해 주지."

나는 뜻밖의 제안에 놀라면서, 요람을 들여다보며 물었습니다.

"이름이 뭐지?"

"알리사……."

하고 쥘리에트가 나지막한 목소리로 대답했습니다.

"언니와 좀 닮은 것 같지 않아요?"

나는 대답 대신 쥘리에트의 손을 꼭 잡았습니다.

작은 알리사는 쥘리에트가 안아 일으키자 눈을 떴습니다.

나는 아이를 받아 안았습니다.

"오빠는 훌륭한 가장이 될 거예요."

쥘리에트는 애써 웃으면서 말했습니다.

"결혼은 언제 하실 거예요?"

"많은 일들을 잊게 되면."

나는 쥘리에트의 얼굴이 빨개지는 것을 보았습니다.

"곧 잊게 되길 바라세요?"

"언제까지나 잊고 싶지 않아."

"이쪽으로 오세요."

갑자기 쥘리에트는 나를 좀더 작고 벌써 어둠이 깃든 방으로 나를 안내했습니다.

그 방에는 두 개의 문이 있었는데, 하나는 쥘리에트의 방으로 통해 있었고 다른 하나는 응접실로 통해 있었습니다.

"잠시라도 틈이 있으면 이 방에 와서 쉬곤 해요. 이 집에선 제일 조용한 방이에요. 게다가 여기에 오면 일상적인 삶에서 떨어져 나와 있는 듯한 느낌이 들어요."

이 작은 방의 창문은 다른 방의 창문들처럼 시가지의 소음이 들리는 곳으로 나 있지 않고, 나무가 늘어서 있는 안뜰을 향하고 있었습니다.

"앉으세요."

하고 말하며, 쥘리에트는 안락 의자에 힘없이 앉았습니다.

"오빠는 언제까지나 언니의 추억만을 간직한 채 혼자 살아가실 것 같아요……."

나는 잠시 사이를 두고 대답했습니다.

"그렇지 않아. 언니에 대한 추억이라기보다는 오히려 알리사가 나에 대해 갖고 있던 생각들에 대해서겠지……. 아니, 내가 결혼하지 않는 것이 무슨 칭찬받을 일이나 하는 것처럼 여기지는 않아. 나로서는 그렇게 할 수밖에 없어. 그럴 리도 없겠지만, 내가 만약 다른 여자와 결혼한다면 나는 단지 그 여자를 사랑하는 척할 수밖엔 없을 거야."

"그래요?"

하고 쥘리에트는 짐짓 무관심한 듯이 대답했습니다. 그러고는 내게서 얼굴을 돌리더니 무슨 잃어버린 물건이라도 찾으려는 듯한 자세로 마룻바닥을 내려다보았습니다.

"그렇다면 희망도 없는 사랑을 그처럼 언제까지나 마음속에 간직할 수 있다고 생각하시는 거예요?"

"그래, 쥘리에트."

"하루하루 생활의 바람이 그 위로 불고 지나가도 그 사랑이 사라지지 않으리라고 생각하세요?"

저녁 어둠이 잿빛 밀물처럼 밀려와 하나하나의 물건들에 와 닿자, 이러한 물건들은 어둠 속에서 그 윤곽을 되살려 제각기 지난날의 추억을 속삭이는 것 같았습니다.

순간 나는 옛날 알리사의 방에 다시 와 있는 듯한 착각이 들었습니다. 쥘리에트가 이 방에 알리사가 쓰던 가구며 물건들을 옮겨다 놓은 때문이었습니다.

쥘리에트는 다시 내게로 얼굴을 돌렸습니다. 어둠 속에서 그녀의 얼굴 윤곽이 구별되지 않았으므로, 나는 그녀가 눈을 감고 있는지 어쩐지 알 수가 없었습니다. 다만 그녀는 무척 아름다워 보였습니다.

그리고 우리 두 사람은 아무 말 없이 앉아 있었습니다.

"자! 오빠, 이젠 잠에서 깨어나세요……."

하고 쥘리에트가 입을 열었습니다.

쥘리에트가 일어섰습니다. 그리고 한 걸음 내딛더니 기력을 잃은 듯이 곁에 있는 의자에 쓰러져 버렸습니다. 그리고 두 손을 얼굴로 가져 갔습니다. 우는 것 같았습니다.

이 때 하녀가 램프를 들고 들어왔습니다.

작품 알아보기
(장편문학)

〈좁은 문〉은 지드의 아내이자 사촌 누이였던 마들렌을 모델로 한 이야기이다.

주인공 알리사와 제롬은 사촌지간이다. 서로 사랑하는 사이지만 알리사는 제롬과의 현실적인 사랑을 포기한다. 이러한 알리사의 선택은 어머니의 불륜에 대한 괴로운 추억과 제롬을 짝사랑하는 여동생 쥘리에트 때문이었다. 하지만 무엇보다도 알리사의 마음 깊숙이 뿌리박혀 있는 천성적인 금욕주의가 결정적인 원인이었다.

그리하여 알리사는 결국 사랑하는 제롬을 이런 저런 이유로 피하며 자신의 금욕주의를 실천하기에 이른다. 하지만 이러한 금욕적 생활 속에서도 그녀는 점차 제롬을 생각하지 않고는 하느님의 사랑도 무의미한 것임을 깨닫게 된다. 결국 그녀는 아무도 모르게 혼자서 죽음을 맞이한다.

이 작품에는 지드가 엄격한 종교적 분위기에 젖어 있던 청소년 시절의 정신 상태가 지극히 순수한 형태로 나타나 있다. 작품 전체에 흐르는 아름다운 서정과 조그마한 뉘앙스도 놓치지 않는 정교한 심리 묘사를 통하여, 역설적으로 비인간적인 자기희생의 허무함을 신랄하게 비판하고 있다.

논술 길잡이
(장편문학)

❶ 아래 내용을 통해 제롬이 외숙모에 대해 어떻게 생각하고 있는지, 그리고 왜 그렇게 생각하게 되었는지에 대해 써 보자.

외숙모 곁에 있으면 나는 언제나 묘한 거북스러움, 불안함과 함께 일종의 감탄과 두려움이 섞인 느낌을 가졌습니다. 무의식적인 어떤 본능이 외숙모를 경계하도록 했는지도 모릅니다.

....

....

....

....

....

....

논술 길잡이
(장편문학)

❷ 아래 그림은 제롬이 보티에 목사의 '좁은 문'에 대한 설교를 들고는 감동을 받아, 어렵고 힘들지라도 알리사와 함께 좁은 문으로 갈 것을 다짐하는 모습이다. '좁은 문'이 상징하는 바와 진정한 의미를 생각해 보고, 그 가치에 대해 글로 써 보자.

논술 길잡이
(장편문학)

❸ 다음은 크리스마스날 쥘리에트가 제롬에게 보인 반응이다. 그 후 쥘리에트는 기절하게 되는데, 이 때의 쥘리에트의 심정이 어땠을까에 대해 써 보자.

> 그녀는 얼굴이 새빨갛게 달아 있었습니다. 찌푸린 눈썹 때문에 그녀의 표정은 날카로워 보였고, 얼굴은 고통에 찬 모습이었습니다. 신열이 있는 듯 두 눈은 반짝였고, 목소리는 거칠고 경련을 일으키고 있는 것 같았습니다.

논술 길잡이
(장편문학)

❹ 알리사는 제롬을 사랑하면서도 끝까지 그와 결혼하지 않는다. 알리사가 제롬의 사랑을 거부한 이유를 네 가지 정도로 정리해 써 보자.

....

....

....

....

❺ 〈좁은 문〉에서 알리사가 추구하는 금욕주의적 사랑, 이성적인 사랑에 대한 자신의 의견을 써 보자.

....

....

....

....

논·술·세·계·대·표·문·학 〈전60권〉

펴 낸 이   정재상
펴 낸 곳   훈민출판사
주   소   경기도 고양시 덕양구 원당동 416번지
대표전화   (031)962-3888
팩   스   (031)962-9998
출판등록   제395-2003-000042호

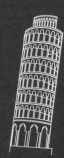